BIBLE
WORD-FINDS™
VOLUME 22

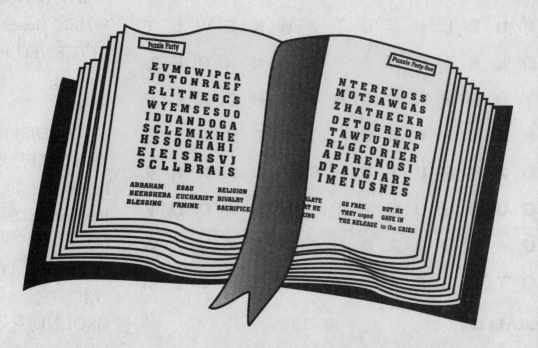

Explore the world of the Bible as you search through the diagram for all the words that appear in all CAPITAL LETTERS in the word lists.

 KAPPA Books
A Division of KAPPA Graphics, LP

THE GOLDEN CALF

```
Y I L F S U D O X E T C P M O D
R N Z T L E R E D W O P E H T E
D N A G P A D S V M A K E N N T
A R C M B Y C E M A S E C E I P
Z E U O O G G A N D H S M H S M
R D G H Q S N E R R A O K W C E
B W R G A D E I N R U T E R O T
P O O D M R N S P N J T B D L F
R P U E L K D D T P W K E W L T
E O N K I O W S F T I N N R E L
S T D N M W G L H C O H O A C E
S P G I S R A E L I T E S A T B
U D X M P C I N H Q P O A R R V
R G U O E D M S T T M S W O O V
E U A H O T A B L E T S K N K W
D O T L Z F A I T H D E T L E M
```

Aaron to MAKE an idol. AARON was PRESSURED to COLLECT PIECES of gold and HAVE them MELTED, and A CALF was FASHIONED from THE GOLD. WHEN Moses RETURNED and found people WORSHIPPING THE CALF, he BROKE the TABLETS of the COMMAND-MENTS, GROUND THE IDOL TO POWDER, and DUMPED THE POWDER INTO the DRINKING water.

The ISRAELITES, in the EXODUS from EGYPT, endured HARDSHIPS that TEMPTED many TO RETURN. When MOSES WAS ON MOUNT Sinai, MANY lost FAITH in God and WANTED

AKELDAMA

AKELDAMA was

the

LOCATION

WHERE

Judas

COMMITTED

SUICIDE.

AFTER JUDAS

PURCHASED

IT FOR

THIRTY

PIECES of

SILVER and

TAINTED IT

WITH HIS

```
O W D S P D L A Y A R T E B G E
I J I A I I M O N E Y S R P D D
V H Y B K N E L C I M S W Q E O
T I C M E E U C B A T N M T D O
K T D W N E L O E R T T T H R L
A F T E R J U D A S B I A B O B
C O P E S G R N A J M D O W C F
P R H Z H A G V Z M L E I N C O
M W P T E E H J O T A T S F A D
V N L I R H C C A F H N E J O L
C Q A S E N T I R H S I D N R E
Y A I M W C R H I U H A I T E I
V B R K E T A S T C P T C O V F
Y P U S A W D L E I F T I B L D
J B B U D R B H P W W Y U Q I I
Y K T H I R T Y P R I E S T S M
```

blood, THIS

FIELD WAS

ACCORDED the

NAME

"FIELD OF

BLOOD."

THE CHIEF

PRIESTS

BOUGHT it

WITH THE

BETRAYAL

MONEY as a

PLACE of

BURIAL for

STRANGERS.

```
A D J Q Q N S R T D E F I L O T
E S U O H R E H F K O H Q A K V
W H O S E T B A A T U K T N T M
G O X S U I M P U L D C B D S Y
A U E R L I S O B G L I S E N E
S S N H N A L O D R M O S R A A
R E V E O S E R E H W O U A C R
D H N F O R H E R L R O G B K S
E O Y I U A J Z O A J N N O P U
Y L G V T L F R T O I T I H U K
E D I F M S D T S K O H Y F X L
S I Z S O C I Q E C S I A V K G
I E I T H N V L R R S N S T P G
R V V B H A A Y I Z A E U O H T
A D D E M A C M J H P N L R I B
W O M A N H T R O F P Y K Z B I
```

for the LORD HATH called for a FAMINE; and it SHALL ALSO come UPON the LAND SEVEN years. AND THE woman AROSE, and did AFTER the SAYING of the MAN OF GOD. And it CAME to PASS at the seven YEARS' end, THAT the woman RETURNED OUT OF the land of the PHILISTINES: and she went FORTH TO CRY unto the KING for HER HOUSE and FOR HER land.

Then SPAKE ELISHA unto the WOMAN, WHOSE son he had RESTORED TO LIFE, saying, ARISE, and go THOU and THINE HOUSEHOLD, and SOJOURN WHERESOEVER thou CANST sojourn:

PSALM 23

The LORD IS
my SHEPHERD;
I shall not WANT.
He MAKETH me
to lie DOWN
in green
   PASTURES:
he leadeth me
   BESIDE
the STILL waters.
He RESTORETH
   my soul:
he leadeth me in
   the PATHS
of RIGHTEOUS-
   NESS
for his NAME'S
   sake.
Yea, though I
   WALK
THROUGH
the VALLEY
of the SHADOW
   of death,
I will FEAR no
   evil:
for thou art WITH
   ME;
thy rod and thy
   STAFF
they COMFORT
   me.
Thou PREPAREST
a TABLE before
   me

in the PRESENCE
of MINE enemies:
thou ANOINTEST
my HEAD with
   oil:
MY CUP
RUNNETH over.
SURELY
GOODNESS and

MERCY shall
   follow me
ALL THE
DAYS of my life:
and I will DWELL
in the HOUSE
of THE LORD
for EVER.

```
S L X Y I R I U Y D Y W S P Z E
E S U O H H T E R O T S E R V I
Z A D W E L L O Z M E D H E W H
L E E H T L L A E N S D R P R K
T L N M A E M R S Z E R D A R P
J T I V H A C U U N M E A R R A
F Y S T K Y O T N N A H Y E W T
G A L E S E L R W E N P S S O H
K O T E T O E O O P M E M T D S
O H O H R N O F D U N H T N A W
E D G D I U I M W C V S T H H Y
G I I M N I S O E Y K E T I S T
R S K H M E Y C N M F K L A W I
P E E E D I S E B A T E D B F W
P A S T U R E S S C L J A J A F
D T S C S M T Q O H G U O R H T
```

BETHEL

```
N S P R A T L A H H O S Z X S Q
E C A L P C E H I Q C A L L E D
G R C W Y O U M E L A S U R E J
E K I W L V H V D J Y M M P L M
V I M Z D E J I X O A F I E V I
O D A T R N H P T A G H H G I L
M J H E V A M T T B S T O B T E
L O A C R N X O E R E X T W O S
U N R C O T W T O B G T E E I E
D H B W O N H W L G N L H N D D
N I A J J B F E R J V O C E K E
P S A C R I F I C E B E R M L P
R W E Z Z D E N R U T E R T X P
C A L L I N G F I M F A A O H O
P Y E S I H T L K F E X L P S T
O K M N M Y T M O T H D W S F S
```

the

NEGEV and

OFFERED a

SACRIFICE.

JACOB

CALLED

IT BETHEL,

SINCE

GOD MET

HIM HERE AND

CONFIRMED the

ABRAHAMIC

COVENANT

TO HIM.

LATER, Jacob

RETURNED and

BUILT an

BETHEL WAS

A TOWN

TWELVE

MILES

NORTH of

JERUSALEM.

Abraham

STOPPED

NEAR

THIS

SPOT

ON HIS WAY to

ALTAR and

WORSHIPED,

CALLING the

PLACE

EL BETHEL.

EZEKIEL 34:25-26

AND I

will MAKE

a COVENANT

of PEACE,

AND WILL

cause the EVIL

BEASTS

to CEASE

OUT OF

the LAND:

and THEY

shall DWELL

SAFELY in

the

WILDERNESS,

and SLEEP

```
S E C A L P G A N E H T N I T T
S T H E R E Y R W Z B N A G C Z
D H V T Y L A C O V E N A N T Y
O E B X E H K T D M A R L I V E
E M E F B S Y T E B S J J S S H
S K A M S C U H M I T I L S F T
A S L L L P I A O A S A E E Q H
E B E J E L S D C Z K N A L C G
C E L A L E E S A Q R E L B N C
P I C E S Q H W D E B A E F H I
E E G W S O J F D O H G Y O F L
N U E J W S N L X S O A H T V L
I F E E L L I W D N A W B U F I
B D R P X W P N K J D N U O R W
P T N V H I A Y G N H H L A U I
O A P A F L I U R D Z G W B Z T
```

IN THE

WOODS. And

I WILL make

THEM and

the PLACES

ROUND

ABOUT

my HILL

A BLESSING; and

I will CAUSE THE

SHOWER TO

COME DOWN in

his SEASON;

THERE

SHALL be

showers OF

BLESSING.

THE BUILDING OF THE ARK

```
P U S T I B U C Y P R E S S U N
S N O I T C U R T S N I N W O O
V H H O U S E W A Y O O M A E B
H S U O M R O N E T I E H F G K
E M K O K D C C T S T G S I O C
I L O G N T H F N H A U L G P E
G R B I U A G E Y H R L E N H D
H B W A M C M E U X A E V I E O
T G R B T I O N N A P D E R R O
O Y E E D S D N D E E I L O W L
C R S N A R W A T E R P R O O F
S A I C E D O Y L R P A F M O L
T I N D L S T O F G O I T L D O
P N O I J I I H D E F L T I A A
S Q U Y C L E S S E V N S C O T
E B S L O P I N G L O B A L H N
```

FLOAT low
FLOOD
GENERATION
GENESIS
GLOBAL flood
GOPHER WOOD
HEIGHT
HOUSE
One HUNDRED
  years to build
INSTRUCTIONS
LEVELS
MOORING
NOAH
PITCH
PREPARATION
RAIN
RESINOUS
  material
ROOMS
SANCTUARY
SLOPING roof
STABLE
THREE stories
VESSEL
WATERPROOF
WINDOW

BEAM
BREADTH
BUILD
CHAMBERS
Floating CITY
No CONTROLS
CUBITS

CYPRESS wood
DECK
DELUGE
DIMENSIONS
Only one DOOR
ENORMOUS
FLAT bottom

HERODIAS

HERODIAS

WAS A

WICKED

GRAND-

DAUGHTER of

HEROD THE

GREAT,

WHO MARRIED

HER UNCLE,

HEROD-PHILIP;

BUT HIS

BROTHER,

HEROD-

ANTIPAS,

SAW HER at

ROME,

```
O P H G W H E R U N C L E D Q O
I D J Y T T R H E M V J A E O F
J T S A C E E H T B Y M S K T D
I A E S H R W H T D J J A U S E
V D N W O G Z J T S O P W B A N
R W A D I B O T G N I R R E P O
T S I I M H Y P H L H O E R I S
T A R C N A G W I I T O W H T I
S T E W K P R H O H S X J Z N R
I I A R P E P R E O Y D Y W A P
T S Q L G D D R I O A D I Q D M
P F K B O H Q D C E W I A D O I
A Y Y R E T H G U A D D N A R G
B W E D E R I S E D E R U C E S
W H O M A R R I E D R O M E H H
S I H T U B E M E H C S U P J P
```

DESIRED her,

AND MARRIED

her. WHEN

JOHN THE

BAPTIST

REBUKED Herod-

Antipas,

JOHN WAS

IMPRISONED.

THIS DID not

SATISFY her,

SO BY a

SORDID

SCHEME, she

SECURED his

DEATH.

```
D E R A P E R P N S K G S E S I
L R F S T X F N O G B S N T M T
O E A R T H I M S L E S S E V Q
G S I E C A E P D N F U W U D K
F C T T D T R R S L L H O V I A
O F H S O O O U E R E V L I S K
P L D A D L O S L A E E L F H V
G S L M R E M W R L R J O A O U
E O G A T I I T U L U E F N N L
Y P O H H T T F E A P O F D O I
H X G D H S H Y I C R M V M U E
P I M T W T E U N T O E V E R Y
R U H H U O A H H A C Y I E V N
Z E R O L D R E S H E N L T J S
M L Y G O M Y K R T I F A M A N
B W T A E Q B N S G R P F S E A
```

HIMSELF from these,

HE SHALL be a vessel

unto honour,

SANCTIFIED,

AND MEET

FOR THE

MASTER'S use,

and PREPARED

UNTO EVERY

GOOD WORK.

FLEE ALSO

YOUTHFUL

LUSTS:

but FOLLOW

RIGHTEOUS-
NESS,

FAITH,

CHARITY,

PEACE,

WITH THEM

THAT CALL

on the LORD

out of a PURE

HEART.

IN A

GREAT house

THERE ARE

not only VESSELS

OF GOLD

and of SILVER,

but also of WOOD

and of EARTH;

and SOME TO honour

and some to DISHONOUR.

IF A MAN

therefore PURGE

THE BOOK OF JUDGES

ABIMELECH
ANGEL of the
  Lord
BENJAMIN
  vanquished
BETH-EL
BIRTH of Samson
BOCHIM
BURNING of the
  corn
CANAANITES
CHILDREN of
  Israel
DEBORAH
DELILAH
EGLON
EHUD
GAAL'S
  conspiracy
GIDEON
JABIN
JAIR
JEPHTHAH
JERUSALEM
JOTHAM'S fable
JUDAH
LAISH
LEVITES
MESSAGE to
  Ammon
MICAH'S images
MIDIAN defeated

MOAB
MOUNT Ephriam
NO KING of
  Israel
OTHNIEL
PERIZZITES
PHILISTINES
PRIESTS

RAMAH
SHILOH
SIMEON
TRIBES of Israel
TRUMPETS
TWENTY-ONE
  chapters
WAR declared

```
M O M F G T H G A A L S X U G Z
M E T O C I W A N G E L F G T C
N H S H A S D E L I L A H N H D
T U E S N B E E N A K H S I A L
J D T E A I R N O T X O L N J N
K Z I B A G E S I N Y D N R R I
J F V I N W E L T T R O R U A B
O P E R I Z Z I T E S N N B M A
T A L T T W W M N U P I O E A J
H C E L E M I B A P G M L L H M
A B H K S H M M R H O A U I G J
M I T I C I I I O U S J E R H E
S R E O D C E L N U X N R O T P
Y T B I A S I T R N O E M I S R
W H A H T H P E J D E B O R A H
H N S S S F J U D A H A A W X J
```

```
Z H Y Q E H I J Z J B H N A D S
Y W W H O M G O D A W O N O W A
E H T N I S Y U T U M D O A K W
G R B F G V M H O O U Y S F K E
S O O Y G A S K L R X T T O S H
W M D F Z H G O I Z H E M T X R
D N B S E T S A A E O T A R D E
E T A B J V H Y I H D B I U I T
C V A H K U O E S N L K N O V A
N X R R T F D L P I S R P C A L
U S D I V A D G S R N T R C D N
O N Q U Z T N H E D O S O D H C
N S T R O P E R B M O P P Y T M
O D I V A D G N I K E G H H I G
R O F D I V A D N O Z N E E W D
P I H I S C O V E N A N T V T F
```

ESTABLISHED

HIS COVENANT

WITH DAVID.

LATER, HE

PRONOUNCED

GOD'S

JUDGEMENT

ON DAVID FOR

DAVID'S

SINS

AGAINST

BATHSHEBA

AND URIAH;

THEN

NATHAN

WAS THE

MAIN PROPHET

IN THE

COURT OF

KING DAVID.

HE WAS

THE PROPHET

THROUGH

WHOM GOD

REPORTS

GOD'S LOVE

FOR

SOLOMON.

GENESIS 2:7-10

AND THE
LORD GOD
FORMED
MAN OF
the DUST of
the GROUND,
and BREATHED
into his
  NOSTRILS
THE BREATH
of LIFE;
and man
  BECAME
a LIVING
SOUL.
And the Lord God
  PLANTED
A GARDEN
EASTWARD
IN EDEN;
and THERE HE
  PUT
the man WHOM
  he had formed.
And OUT OF THE
  ground
MADE the Lord
  God
TO GROW
EVERY TREE that
  is
PLEASANT
to the SIGHT,
and GOOD
FOR FOOD:

the tree of life
  ALSO in
the MIDST of the
  garden,
and the tree of
  KNOWLEDGE
of good and EVIL.
And a RIVER
WENT OUT of

Eden
to WATER the
  garden;
and FROM
  THENCE
it was PARTED,
  and
became into
  FOUR HEADS.

```
O B H T A E R B E H T E D A M A
L S E O U T H G I S H L L Z B D
G V O C S P D O O F R O F H S M
R L O U A E E F K A F O S L A I
O E U R L M T H D L I V I N G D
U W T W F M E N E E F R O X T S
N E O A F K E T A R T F I E S T
D N F I W B E F O S E N Y F U V
K T T N N H R M O G A H A I D N
T O H E T L T N L U R E T L Y E
O U E D N H Y O V W R O L S P D
N T N E E O R R X M O H W P O R
H A E N A D E M R O F M E O Y A
W J C V G V V N Y Z Y G G A N G
B E O O I E E B R E A T H E D A
Y O D R Y L R D R A W T S A E S
```

THE TEMPTATION OF JESUS

```
Z R E W O P D I J W N B Y J J U      LUKE
M E S S I A H Y I E A R B S S C      MARK
E C W M D L A L L U T E E L A G      MATTHEW
S E N O T S D P W S I A D E L Z      MESSIAH
O B J D Y E M B I C O D J G V Y      MINISTRY
V Q F G R E E N E D N Y O N A W      MOUNTAIN
M O U N T A I N M A S D T A T V      NATIONS
Y E E I M M H O L Y S P I R I T      Forty NIGHTS
S S L K A S R C E W C T E C O O      PINNACLE
S J A A O I T N O S E G S H N F      POWER
T E G T S E R R W B N H E K U L      RISKS
H S S K A U D O U U W T T J W I      SALVATION
G U S R O N R P H G J M K T J V      SATAN
I S O J E L J E T E G S A M A E      STONES
N U H S D V K P J R G L O R Y M      STRUGGLE
U X B M E L C A N N I P E D K B      TEMPLE
```

ANGELS	HOLY SPIRIT	VERSES
BREAD	HUNGER	WILD BEASTS
EVIL	JERUSALEM	WILDERNESS
FORTY days	JESUS	WORLD
GLORY	JOURNEY	
GOD'S WORD	KINGDOMS	

ABIATHAR

ABIATHAR WAS

THE SON OF

AHIMELECH,

WHO WITH 84

OTHER

PRIESTS

WAS KILLED

AT NOB ON

SAUL'S

INSTRUCTION,

AFTER

DOEG

HAD TOLD THE

KING

THAT Ahimelech

HAD HELPED

DAVID BY

INQUIRING

OF THE

LORD

FOR HIM

AND BY

GIVING HIM

GOLIATH'S

SWORD.

```
S O U E W P U I G E H T F O E D
A X E O A F O N O S E H T T G X
W A N O S K I A V O T H E R G S
R V U O K R L M H K W A D X A L
A D A V I D B Y R I K D I F Z U
H V F U L T R Q J Z M H T S J A
T L Q P L C C O F M P E S G I S
A N O Q E B Y U W D R L L S G G
I O P R D F D G R S S P J E I W
B B H A D T O L D T H E O V C O
A O E T R L X R S W S D I L S H
N N G N I K I E H D X N N R J W
D T Y A S W I I B I G P I K M A
B A T R T R O G Q H M F Y H A W
Y H W D P N H H I X F C N R U W
S T Z L O Y C M W J C N C L W F
```

```
S S E D U Y M M M I S G G O L E
D O Y N Z A E Y Z T G E R B V Z
N L T A T H E M S E L V E S Q S
C O U L W K V U C E I Q Y K A K
M M R R O D C N D E L L A C N H
S O N I J O E R M O R F R A E H
H N C E L L O K B J O I P A V G
U D O H I L U F C R F L R R A N
T T E T H E N I G I A D U I E O
V H S R V Z T I C C W O R S H M
I E E C A F V E E O V N O A B A
P I S L P E O P L E M H A L I D
M R G U A G P X D B C M S M S N
D S X H O N V P I F M T A Q E D
N I G H T H D L A E H U K N N U
A N D P R A Y U S E R E H T D N
```

that THERE be no RAIN, or if I COMMAND the LOCUSTS to DEVOUR THE LAND, or if I SEND PESTILENCE AMONG my people; If my PEOPLE, which are CALLED by my NAME, shall HUMBLE THEMSELVES, AND PRAY, and SEEK my FACE, and TURN from their WICKED WAYS; THEN will I HEAR FROM heaven, and will FORGIVE THEIR SIN, and will HEAL THEIR LAND.

And the LORD APPEARED to SOLOMON by NIGHT, and SAID UNTO him, I have HEARD thy PRAYER, and have CHOSEN this PLACE to MYSELF for an HOUSE of SACRIFICE. If I SHUT up HEAVEN

THE WRATH OF HEROD

AMPHITHEATER

BETHLEHEM

CAIAPHAS

DYNASTY

EMPEROR

  Augustus

EMPIRE

ENEMIES

EXECUTIONS

FORTS

GARRISON

HARBOR

HIPPODROME

IDUMEA

INSANITY

JERUSALEM

JESUS

JOHN the Baptist

JULIUS Caesar

KING of the Jews

MARC ANTONY

MOAT

MONEY changers

PALACES

POLITICS

PONTIUS Pilate

POWER

REIGN

REVOLTS

SHEKELS

SOLDIERS

TAXES

TEMPLE Mount

TOWER

WATER gardens

```
R E T A E H T I H P M A Q E K U
E G X X G O A P I S X C D G O M
W M K E W N O N P S T R O F J E
O P E E C L I Y P I T L Z R S L
P Y R H I U E K O O M E O O Q A
W U S T E N T K D A N R M V B S
C A I J O L K I R U E T N P E U
O C T M U E H C O P S S I H L R
S M Z E M L A T M N A O D U O E
E V N P R N I E E H S L U D S J
I A I E T Z N U P B F D M X L E
M R I O D Y N A S T Y I E K E S
E G N N O S I R R A G E A I K U
N Y T I N A S N I O P R L E E S
E N P W C P A L A C E S S S H R
R O B R A H U M O A T A X E S Q
```

GALATIA

```
D M E H T S A W R N N L K H D M
N E E Z D L A R E V E S K L E A
G E V M G X F Q T T R L N E C D
G A T I B N O I T A C O L P E O
W N L A E E N E E R I X I S N B
I G I A H C R C L G Y S S O T J
F K A N T T E S E E U E S G R O
Y X O L O I U R H S R T E F A Q
A S E F A D A T T D I A H R L C
J X T L L T N A D L Z N C O L R
C A L L A S I A M I N O R M Y M
J E N P X N N A B B N I U P X D
J D X Y E G N A N A F S H A G G
F R A D E X R Y U S B S C U W F
M O D R K W H I C H P A U L C M
I N O I T A L U T S O P X E E D
```

LETTER TO the

GALATIANS.

THE LETTER is a

SUSTAINED and

PASSIONATE

EXPOSTULA-

TION of

MEMBERS in

DANGER of

ABANDONING

the

GOSPEL

THAT

THEY had

RECEIVED

FROM PAUL.

GALATIA, A

REGION in

CENTRAL

ASIA MINOR,

WAS THE

LOCATION of

SEVERAL

CHURCHES to

WHICH PAUL

ADDRESSED his

ACTS 4:1-4

AND AS they

SPAKE

UNTO

the PEOPLE,

the PRIESTS,

and the CAPTAIN

of the TEMPLE,

and the

SADDUCEES,

came UPON

them,

BEING

GRIEVED

THAT they

TAUGHT the

people,

and PREACHED

THROUGH

JESUS

the

RESURRECTION

FROM THE dead.

AND THEY laid

HANDS on them,

and PUT THEM

IN HOLD unto

```
J B T H A T R P D I Z Q E P E G
A I L N C J R H R D R O W E Z N
A N D T H E Y G N I N H O L D O
X A Y E A S R U O I O W S P R I
S T V C F U L O D N A S U O H T
D I H Q S S P R I E S T S E C C
F E P E N A V H H G T A P P V E
D B V X M T D T P H B Y M A D R
M W F E W E M D E O D O O I C R
Y O N D I O N M U Y E N T K D U
K H G O R R N T D C V N N P E S
P K B F P A G U T S E C U L E E
O M G E I U E X M V I E P X K R
S A W T I F E H E B L M S D A B
U N U S D N A H X L E S C L P W
K Y F R T H G U A T B R S Q S P
```

the NEXT day:

for IT WAS

now EVENTIDE.

HOWBEIT

MANY of them

which HEARD

the WORD

BELIEVED;

and the NUMBER

of THE MEN

was ABOUT

FIVE

THOUSAND.

Puzzle Nineteen

SARAH

```
G N I L L I F L U F Q A C B W R
T S E U W D Y Y W X H D Y X E O
A E X K E E U X S J L L D S W T
H V B H A N I U E J M U T G V S
T E Y V D T O D W U H O W P N E
O R E T S I S E F I R W B I R C
N E H R C T H S P E F T N O E N
T U T S E Y O S D R P E B B E A
O W N F H A R A S Z T W O N B T
S O U B V O E P B Y C T I M E I
C A A F E X A O P R O M I S E O
B D W O F A B R A H A M T E I N
C O B O M G U C A F O H L S N S
E G A E H T A T K H E U A A P P
T P Y G E W R P Y I P A S M X O
C J N F B E K U R T C B B E F M
```

THEIR

OWN land,

he PASSED her

off as his SISTER,

and she was

 TAKEN

into PHARAOH'S

HOUSE

TO BE his wife.

GOD revealed

her TRUE

IDENTITY and

she was

 RESTORED

TO ABRAHAM.

At THE AGE

of NINETY

she BORE

ISAAC,

FULFILLING

God's PROMISE

that she WOULD

be the

 ANCESTOR

of NATIONS.

SARAH

was the WIFE

OF ABRAHAM

WHO WAS so

CONSCIOUS of

her BEAUTY

THAT before

THEY entered

EGYPT,

at the TIME

of a SEVERE

FAMINE in

CAIN

CAIN
WAS THE
FIRST
SON OF
ADAM
AND EVE,
AND A
FARMER by
OCCUPATION.
AS AN
OFFERING
TO GOD, he
brought FRUITS
OF THE
GROUND,
WHILE his
brother, ABEL,
BROUGHT AN
ANIMAL
SACRIFICE.
ANGRY
WHEN HIS
offering WAS
NOT
RECEIVED, he

MURDERED
HIS BROTHER,
and DENIED
THE ACT,
SHOWING no
REPENTANCE.
He

FLED
TO THE LAND
OF NOD and
THERE
BUILT
A CITY.

```
A U F F B L E B A M I E M G U I
A S L R G T A N G A J I L N N H
N E A R O R I M N D F R U I T S
D I C N E A E D I A L E D W H V
A E S I C B E P R N P M O O I W
U A R I F V N Q E F A R N H S R
W E B E E I D N F N T A F S B Y
W R C Y D N R R F F T F O B R Q
Q E X S U R E C O H M A R G O D
D H H O C C U P A T I O N V T P
E T R T E R R M I S U A Z C H C
I G R I S O N O F G T F C M E B
N K V D N A L E H T O T I I R O
E E H T F O W T B G G O D R T D
D S I T H E A C T M O M S J S Y
N C S I H N E H W W D B U I L T
```

Puzzle Twenty-one

```
H D J R C E A S E S T I U R F F
T W R S S I R P O B G I C O S E
E S E O C A R E F U L L N O W L
M A H H U I X T H N T E H T S I
O W T L T G Q A X T E H S S H V
C H U T E Y H H W D I E E S M E
K R B H N A B T E M E E R R E H
S K R E T S F D A H A S N G T D
Q O D Y C E N N G N I D L E I Y
F T H E J A T A D D J N D B E R
C A L A D H W S R P L A N T E D
O E Z R A A H O U H E R Z O R Y
A H O T T A L M O R F E C N T H
D L A E L J Y P P A T V D C V M
X R R L O E E S T O N I C U X O
G S E O E B L L A H S R H B X G
```

PLANTED

BY THE

WATERS,

AND THAT

SPREADETH

OUT HER

ROOTS by

the RIVER AND

shall NOT SEE

when HEAT

COMETH,

BUT HER

LEAF shall

be GREEN;

AND SHALL

NOT BE

CAREFUL in

THE YEAR

of DROUGHT,

NEITHER

shall CEASE

FROM

YIELDING

FRUIT.

BLESSED

IS THE

MAN THAT

TRUSTETH

IN THE

LORD, AND

WHOSE

HOPE the

LORD IS.

FOR HE

SHALL BE

as a TREE

THE STAR OF BETHLEHEM

ANGELS

ASTROLOGERS

BETHLEHEM

BRIGHTEST

CHRISTMAS

COSMIC RULER

EVENTS

GOSPEL

GUIDE

HEAVENS

HEROD

JESUS

JOSEPH

LIGHT

MAGI

```
Y M C W X B I G M B E F H B S H
S U E O T D J O S E P H I A K E
A N C H S N E G Y R A M M C L R
V I E E E M F C O E E T O B Y A
I Q G V V L I P L S S V A T S E
O U B A A S H C N I P T E T B Q
U E R A M E A T R A S E R N Y X
R D I M S R H H E U Z O L S T O
Z I G Y I A C A N B L A U D I S
Q U H M N I N Z J O L E R R V L
X G T G E G U E G F D Y R E I I
B D E N I T S E L A P O J H T G
I L S S M U R E G N A M R P A H
S L T Y S S P E C T A C L E N T
Y K S T H G I N I O F C S H H C
P Y N E L K D K R H A I S S E M
```

MANGER   NAZARETH   SHEPHERDS

MARY   NIGHT SKY   SIGN

MESSIAH   PALESTINE   SPECTACLE

MIRACLE   PROPHESY   STABLE

NATIVITY   SAVIOUR   UNIQUE

ABEL BETH MAACAH

```
F V D I V A D T S N I A G A O L
S B P E O P L E W N D R B Z X N
V A F A W C T O J E T E F F O R
L O B W L O T O V Z L V M Z B A
Y J K E I E L A W B U O W Z K T
F D E T H S S L E A A L O X M C
V E C T N S E T O R S T M Q Y B
N L I E A Y H T I F S I A V K S
T I F W X M X L I N A F N O T Z
R A I L A T H P A N E L O B R Z
I F R A H Y R U Q A E S V V I H
B I C R I F L E D H L H P W V N
E A A U O D L V M R D A W H O W
H P S N R L I O L E Y K G R L B
C H O B Z C R F P L I N T H E E
X S X K E F A Q J T A H T M P P
```

SON OF

BICRI, FLED

TO IT when

his REVOLT

AGAINST

DAVID

FAILED.

THE TOWN

WAS SAVED

FROM

ASSAULT by

JOAB,

WHEN IT

FOLLOWED the

ADVICE of a

WISE

ABEL BETH

MAACAH

WAS IN the

EXTREME

NORTH of

PALESTINE,

IN THE

TRIBE of

NAPHTALI.

SHEBA,

WOMAN

THAT the

PEOPLE

SACRIFICE

Sheba.

EZRA 2:68-70

AND SOME
of the CHIEF
of the FATHERS,
WHEN
THEY CAME
to the HOUSE
of the LORD
WHICH IS
at JERUSALEM,
OFFERED
  FREELY:
They GAVE
AFTER
their ABILITY
UNTO
the TREASURE
of the WORK
THREESCORE
and one
  THOUSAND
DRAMS
of GOLD,
and FIVE
  thousand
POUNDS
of SILVER,
and one
  HUNDRED

```
H A M X U M M A M D S F T Z Y S
W O R K F N I S R A E L L Q L E
H G U E I Y T I L I B A E S U I
Y N X S V N G O L D L L W T M T
L L J M E Q H U N D R E D S R I
I O E M S M I N I H T E N E R C
T H R E E S C O R E V M A I B D
E A U D R R R A L A M S S R W Y
G M S J E F N E G E U C U P H J
R K A V P D D S H R V H O S I H
C I L C S O R E E T C I H O C W
W I E O Y E U L R D A E T M H K
S K M H G E P N R E T F A E I H
A E Z N T O H A D D F C N O S U
A A I X E N M T O S S F F F R M
O S C P W S I S R E T R O P O R
```

priests'
  GARMENTS.
So the PRIESTS,
and the LEVITES,
and SOME OF
the PEOPLE,
and the SINGERS,

and the PORTERS,
and the
  NETHINIMS,
DWELT
in their CITIES,
and all ISRAEL
IN THEIR cities.

BIBLICAL EXPRESSIONS

```
T A O G E P A C S U R E L Y T M
P L Y S R P X R P E O V A O S U
V L A I P L L E W R E S O B W H
A N D U I E O U I Y I R R Y O R
H E K V G P C G A S E E H H R Z
Y S E Q L H I I E N V N Y T D X
N H A E U N I N F O Q A O O S K
A K D W A O E N R I N C B M U A
M S K T E G T P G S C S I I Q M
Y L E V I T C E P S E R B T W I
M D E B T X I H S E T M L I L M
A I P B R O T H E R S O I Q W Y
B D E B Y E B S W P J T C Z E M
Z T R O O I I E O X U G A K F G
W U Q G Y F I T N E D I L H I P
A B I B L E L L A F A O Q R T A
```

KEEPER?" and "MONEY is the ROOT of all EVIL" AS THREE BIBLICAL QUOTES, from PROVERBS, GENESIS, and I TIMOTHY, RESPECTIVELY, TO BE SPECIFIC. BUT DID YOU know THAT the WORDS, "SCAPEGOAT," "WHITEWASH," AND "LAUGHING-STOCK" ORIGINATED in the BIBLE as WELL?

SURELY MANY PEOPLE CAN IDENTIFY the EXPRESSIONS, "PRIDE GOETH before A FALL," "AM I MY BROTHER'S

HOSEA

HOSEA IS

THE SECOND

PROPHET

WHOSE

MESSAGES

BECAME a

SEPARATE

BOOK. THE

SIMILARITY

BETWEEN

HOSEA'S

EXPERIENCE

WITH HIS

ADULTEROUS

WIFE and

YAHWEH'S

experience

with ISRAEL is

WORKED

OUT IN

```
T R M S T R O F F E Y O T R E O
H B E E K A E R B T R A E H M R
E E J J S O U T I N R C H H W A
S C F O E S T R L D O S P Z G W
E A N B L C A E E N D H O S X H
C M Q E P L T G C T I E R X O M
O E W Q I A A I E H M W P S J G
N N I M R R L N O S E H E F I W
D T I A N I E S I N N A T Z F Q
V S P E A S E P K Y S Y Y M H Z
X E I T O A X D X O I M E K H T
S J I H I W F E O E O S K K P L
V O W S H L X K K M N B R B N R
N A D U L T E R O U S W E A T K
M E M E J F I O B O O K T H E Z
H G V F B E T W E E N L M J T L
```

THE BOOK

IN ALL its

DIMENSIONS —

HEARTBREAK,

ENRAGED

REJECTIONS, and

EFFORTS at

RECONCILIA-

TION.

```
H O D M O S H A V I N G S B B H
J S X G T D L F S U O T E V O C
F E E Q Z A U P E D P S M I L T
O R Y R R U F H L M L A I T A U
R O T U U T K I Z A O S T H F R
M M T R Y S N A F F E C T I O N
E A J H A E A E T X R N K S R A
N U R C S I H E N N E E N K M W
S A H S H U T H L I I F W N B A
E H O E N Q N O D P T T O O C Y
C L A H L S U E R E K N A W P E
R D O L E O B U J S N S O H R C
Y L Z V L O V L A S T Y Y C T R
Y B L A S P H E M E R S I C N E
O E O I S T N E R A P R N N O I
S A D O G F O S E S O H T D G F
```

DISOBEDIENT
to PARENTS,
UNTHANKFUL,
UNHOLY,
without
  NATURAL
AFFECTION,
FALSE accusers,
INCONTINENT,
FIERCE, despisers
of THOSE that
are good,
  TRAITORS,
HEADY,
  highminded,
lovers of
  PLEASURES
MORE than
lovers OF GOD;
HAVING
A FORM of
GODLINESS
but DENYING
the POWER
  thereof:
from such TURN
  AWAY.

THIS KNOW also,
THAT IN
the LAST days
perilous TIMES
shall COME.
FOR MEN
SHALL be

LOVERS
of their OWN
SELVES,
COVETOUS,
BOASTERS,
  proud,
BLASPHEMERS,

THE GOSPELS

THERE ARE
four HISTORICAL
ACCOUNTS
of the PERSON
and LIFE
OF CHRIST.
The FIRST,
by MATTHEW,
ANNOUNCES
the REDEEMER
as the PROMISED
KING OF
the KINGDOM
OF GOD.
The SECOND,
by MARK,
DECLARES
HIM a
PROPHET,
MIGHTY
in DEED
and WORD.
The THIRD,
by LUKE,
REPRESENTS
JESUS

in the SPECIAL
CHARACTER
of the SAVIOR
of SINNERS.
The FOURTH,
by JOHN,
SHOWS

CHRIST AS
the SON OF
GOD IN
WHOM deity
and HUMANITY
BECOME one.

```
L Y V Q W A N N O U N C E S P L
K I N G D O M F S M H H K T I U
S O N O F I F I I A O R A F P K
E O G N G H N C R R E I E I B E
G F F H O N U A H M S S U S E J
O S T O E S C M E R A T Y D C O
D Y H R G T R E A L I A E P O H
I V S O E N D E P N Y S D M M N
N H T R W E I K P R I N T A E Z
C T N O R S R K G M O T J T Q M
U R U I F E K A O C B P Y T I D
C U O V T R R R E M O Q H H E E
O O C A A P P S E R A L C E D L
V F C S P E C I A L E R D W T U
V L A C I R O T S I H H K Q N F
J V M O H W O R D R I H T R O H
```

```
Y S E C P A U L I N E C E E R G
K O S A L Z O Z D S C F U M E U
T G U P U C O E K O T H X C X L
N B A I A H C A N Z G H N V N F
A S C T P F W T A P L E M A R B
T K E A Y J E C A D U E I U F N
R D B L B N S U E L G S N R S O
O G M J T G L H F N S A I G L N
P E Y O N S W N I G C W S E T T
M A J O R C I T Y C T H T O C H
I U M W P F A P H E I T R Y M E
R A N K T R W T E E E N Y E P Z
R M U E A H C E L R I I O B A V
H H B P N G H H S E I R E R T E
T H E C I T Y Y V J F O N P A Y
Y S N A I H T N I R O C B U D S
```

the

SARONIC

GULF.

THE CITY was the

CAPITAL of

ACHAIA and

IMPORTANT in

PAUL'S

MINISTRY. The

LETTERS to the

CORINTHIANS

BY PAUL,

BECAUSE of

THEIR

LENGTH,

CONTENT, and

CORINTH WAS a

MAJOR CITY in

GREECE,

LOCATED

ON THE

ISTHMUS

SEPARATING

LECHAEUM

FROM

CENCHREAE on

INFLUENCE,

RANK

AMONG the

major PAULINE

EPISTLES.

LEVITICUS 25:1-6

And the LORD
SPAKE unto
MOSES
in MOUNT
SINAI, saying,
speak unto the
    CHILDREN
of ISRAEL, and
    say unto them,
When ye COME
INTO THE LAND
    which I give you,
then shall the land
    KEEP
a SABBATH unto
    the Lord.
SIX years
SHALT THOU
sow thy FIELD,
and six years thou
    shalt PRUNE
thy VINEYARD,
and GATHER in
the FRUIT thereof;
but in the
    SEVENTH year
    shall be
a sabbath OF
    REST unto the
    land.
That which
    GROWETH
of its OWN
    ACCORD
of they HARVEST
    thou shalt
NOT REAP,

```
H I R E D Q H T N U O M G C I F
T L O R D L S T R A N G E R I C
N R F T I U R F E G R O W E T H
E P R D R O C C A N W O L T P I
V O E E R H C B S F R D J A N L
E Y S J H T L H Y N O U E T Y D
S L T I W T A K C T G R O D X R
P C E G X L I E D A T T Y J L E
E V X A L A E E T O H H S O O N
E L I B R H S H N E N E Z J U S
K N E N T S E A L F S V C A C P
L Y U H E R I A B O E I D O C A
M S T R M Y N I M B P N N H M K
B I D E P D A X H A A E J A A E
W N A T S E V R A H R T Y P I E
U T N A V R E S D X G K H I D A
```

NEITHER gather
the GRAPES
of THE VINE
UNDRESSED.
And the sabbath
    of the land
    SHALL BE
MEAT
FOR YOU; for

thee, and
for thy SERVANT,
and for thy MAID,
and for thy
    HIRED servant,
and for the
    STRANGER that
SOJOURNETH
WITH THEE.

OCCUPATIONS IN THE BIBLE

```
M R S B R H E R D S M A N T W Z
R E T S I N I M L A R E N E G Z
K V R N G A R D E N E R V B N H
G I I C A I G C O U N S E L O R
C R N J H V I T Q Z N L M W E I
E D A G L A R X A I H K I T O A
N X I P D R N E A U N X E H S M
T H C A E R E T S A M P I H S B
U O I H M G P B M N M O E R L A
R R S Z A A A H R U A P B E A S
I S Y B C N C T R A H M I H W S
O E H B D T G T H E B V R C G A
N M P M A U X E R E G N C A I D
I A A W I Z W D R T R T S E V O
N N Y D A R M O U R B E A R E R
N Q E P R E V A R G N E R P R U
```

GRAPE GATHERER
GUIDE
HERDSMAN
HORSEMAN
HUSBANDMAN
KING
LAWGIVER
MAID
MANSERVANT
MERCHANT
MINISTER
MOWER
PHYSICIAN
PREACHER
QUEEN

AMBASSADOR
ARMOUR-
  BEARER
BARBER
CAPTAIN
CENTURION

COUNSELOR
DRIVER
ENGRAVER
EXCHANGER
GARDENER
GENERAL

SCRIBE
SHEPHERD
SHIP MASTER
TRUMPETER
WATCHMAN

ABEL MIZRAIM

ABEL MIZRAIM

WAS A

PLACE

EAST OF THE

JORDAN at

WHICH

THE FUNERAL

PROCESSION of

JACOB

STOPPED to

MOURN FOR

SEVEN

DAYS

BEFORE

ENTERING

  Canaan

```
A J Y T I L I B O N J I J L J E
U S E T I N A A N A C O N T H L
S Y A D M W K R P Q D G R T U A
H S H W F R O M E G Y P T D H R
B O C A J B O T R N F I Q W A E
O M W S E U T M O D U E D H Y N
K O O F R C C I E B E F C I G U
T U O N Z B S A S N U P E C R F
U R I B H S S R E A T R P H W F
E N X Z E T E Z V I D E Y O T O
G F E C O I Q I E T E K R H T F
L O O F D Y J M N P L F H I I S
I R T L U J P L R Y L X G Q N M
P H O P L A C E A G A I O F F G
E S F T R K P B B E C A U S E P
L S E T I R L A R E N U F X I W
```

TO BURY HIM.

  The

CANAANITES

  now

CALLED

IT THE

"MOURNING

OF FUNERAL

FROM EGYPT,"

BECAUSE the

EGYPTIAN

NOBILITY and

SOLDIERS

TOOK

PART

IN THE

FUNERAL RITES.

1 SAMUEL 17:49-50

```
V Z O M I P H I L I S T I N E R
I A Q N S U E C N E H T U G Z Y
L D H T U P D I V A D D A Y N O
R I A R P O S T T N I B T Z H F
S L L E F N B T A T S N J B T D
R L H K H G H H R I G O T O R A
B B N I F E S P H G E Z K O A V
U U E H S I R R E N H N W K E I
S B T T H F T O Y A D S O C N D
K B O T N F A Q F L N U G T O Y
U N M P H R M C Z S A Y H E S U
E X S R E E Q R E D I E S N S A
W D D E D H R Q C N H H B O U E
K V N S P Q T E W A S N O U F J
X S A R O W I O N N C X J C P I
T H K A Q A N D T O O K A D E E
```

THAT THE

STONE

SUNK

INTO

HIS FOREHEAD;

AND HE

FELL

UPON

HIS FACE

TO THE

EARTH.

BUT THERE

WAS NO

DAVID PUT

HIS HAND

in HIS BAG,

AND TOOK

THENCE

A STONE,

AND SLANG IT,

AND SMOTE the

PHILISTINE

IN HIS forehead,

SWORD

IN THE HAND

OF DAVID.

JUDAS ISCARIOT

Judas ISCARIOT was the DISCIPLE who BETRAYED CHRIST for THIRTY PIECES of SILVER. HE WAS the TREASURER OF THE GROUP and ACCOMPANIED JESUS THROUGHOUT his MINISTRY. At the LAST SUPPER, Jesus TOLD him THAT he WOULD be a TRAITOR and TO DO it QUICKLY. He CAME WITH the SOLDIERS who ARRESTED Jesus and IDENTIFIED him by KISSING him. A "JUDAS kiss" MEANS AN ACT that APPEARS FRIENDLY but IS NOT.

```
O S A D U J A P P E A R S V Y D
D E T S E R R A P C E Y T U A R
O X I P L K T D C R W O H N I E
T H R O U G H O U T Y J A L K P
S U S E J C M S O X R C T I H P
W V E L A P A L R Z T A S D M U
T N C M A E D I B E S S I I X S
I O E N R Y L D N E I R F T S J
B W I T H T S E F N N D Y I O A
C E P R S T L N G Y I E L W P R
D H T I A P H T A Z M V K O R F
Z L R R I C N I G E E C C U S E
Z H A C A C S F R R M D I L A B
C L S S O Y L I D T O J U D W M
U I O F T H E E G D Y U Q K E Q
D T O N S I V D C T H I P T H O
```

NAPHTALI

```
S D C E F X J N Z G M D R E F R
S V E E L I L A G T J S W W J S
E A U S R U L E H T F O E N O A
W S W R I L O E X S J Y S B E W
O U M E O A S Z E R R P T Y V I
R P B T B O R B R A T J O Z L L
P P T L N I I P T T W B F A E A
S E F T E R R I T O R Y T Y W T
D R R R T S L T M G M H H G T H
J N W B O I S U L S P A E F E P
N O A S M Y C I L A X B I E H A
X E R B E H D E N S Q L B D T N
Q Z R D O A H F S G W I E R D D
N O F J A C O B V K S B D Y N F
J J E A A N A F Q P R F L C A I
Q I S R A E L J S E S O M H R R
```

TRIBE WAS

ALLOTTED

MUCH

TERRITORY

WEST OF THE

SEA OF

GALILEE

AND THE

UPPER

JORDAN. The

MILITARY

PROWESS

OF NAPHTALI is

NAPHTALI WAS

THE SON

OF BILBAH,

RACHEL'S

MAID, and

JACOB, AND

ONE OF THE

TWELVE

TRIBES of

ISRAEL. The

PRAISED in the

BLESSINGS

OF JACOB and

MOSES.

EPHESIANS 1:1-6

PAUL,
an APOSTLE of
JESUS Christ
by THE WILL
OF GOD,
and to the
FAITHFUL in
Christ Jesus:
GRACE BE to
you,
and PEACE,
FROM GOD
OUR Father,
and from the
LORD Jesus
Christ.
BLESSED be the
God
WHO HATH
blessed us with
all SPIRITUAL
blessings
in HEAVENLY
PLACES in Christ:
ACCORDING as
he hath
CHOSEN us in
him
before the
FOUNDATION
of the WORLD,
that we SHOULD
be HOLY
and WITHOUT
BLAME before
him
IN LOVE:

```
H P O D L R O W H O H A T H Z S
E L T S O P A P N L N P E I P K
G T I R A Z E C R O S A S M A U
P G N I D R O C C A V P R S Y D
F R Y S U S E J A E I S E E R C
A E E O X E O Q N R P S T L O O
I G B D B R E L I I G T E F L F
T F O E E U Y T T X E S E L G G
H R T O C S U K E N N R I D I O
F O U N D A T I O N F W E H I D
U M O Y L E R I S I E P B H L C
L G H E Q L T G N H Y L E U W H
U O T H X P E L T A A F O A S O
A D I E O H O L Y M T H C R C S
P T W D X V S D E S S E L B D E
P L A C E S K G C H I L D R E N
```

Having
PREDESTI-
NATED us
with the
ADOPTION
of CHILDREN by
Jesus Christ
to HIMSELF,
according to the
GOOD

PLEASURES of
his will,
to the PRAISE
of the GLORY
of HIS GRACE,
WHEREIN he
hath made us
ACCEPTED in the
beloved.

```
N I E B L L A H S D N A L L I K     SHALL

D L L R K B N M H V T T L C T O     KILL SHALL

J L L Y E W Y Y T W S P A A T T     BE IN DANGER

H U O A F H W T I M E T H O U N     OF THE

X C D F H O T T H H B T S P A U     JUDGMENT: BUT

G D R G O S H O T E D Y L O B Y     JUDGMENT: BUT

X A A J M O R F R R M W L E K A     I SAY UNTO

K O P N U E O E A B I F I S Y S     YOU, THAT

P P S T G V N E V T G N K U O I     WHOSOEVER IS

Y E H A V E H T H E D J C A U N     ANGRY

H Z A J S R R H B A O Z D C T H     ANGRY

M J L B E I I O N U P S S I H B     WITH HIS

C H T O T S B G F A T L O W A J     BROTHER

U E T W T N E M G D U J E H T S     WITHOUT a

X V A D Y R G N A S N V D C W L     WITHOUT a

V S S T N R H A A L J X G J C O     CAUSE
```

YE HAVE	OF OLD	SHALL BE IN
HEARD THAT	TIME, THOU	DANGER OF
IT WAS	SHALT not	THE JUDGMENT.
SAID	KILL; AND	
BY THEM	WHOSOEVER	

ISAIAH

ISAIAH

IS THE

FIRST

OF THE

MAJOR

PROPHETS in

BOTH

JEWISH and

CHRISTIAN

TRADITION.

THE BOOK

CONSISTS of

SIXTY-SIX

CHAPTERS

DIVIDED

INTO

FIVE

SECTIONS.

ALL EXCEPT

ONE BEGIN

WITH AN

ATTACK on

ARROGANCE

AND AN

APPEAL for

JUSTICE, and

CULMINATE in a

HYMN.

```
J K E H T F O N A H T I W K H A
H O B J S C L A A C N S I V B Y
M O W O Z I P L U I S A I A H H
U B U I I P W L G D T T A R Q K
R E Y G E J M E Q I X S E N Q A
O H H A Z I B X J V N A I G R U
A T L S N E A C Z I S T Q R U D
P T H A N N C E Y D A P O N H V
Y R T O D O I P C E M G S B W C
C E O A N O I T I D A R T K E W
U H N P C M F T U N J A S C F Q
G T Y W H K Y I C A O V I S X X
M S F I V E J E R E R T S J H M
Y I X I S Y T X I S S L N T Y B
C H A P T E R S A U T S O N M F
E W K N B Z Z J J W P B C D N H
```

EXODUS 24:12, 31:18

```
R I X T C A B F F T H O U D G H
M E H T H C A E T O F H R V T X
D G G A S M P Y X G S O S G T E
S L U N V Y W Q O E L E E B S I
T T E I I E R D N W L V L P E V
L H N Q C F I O E B I A B B Y A
A B E E M U T T A V W G A U A R
L F A R M S T T E U I V T M M T
A O Y I E D E T C S Z G O D S S
W R I T T E N T H A T S W J A G
W H I C H U W A H O E I T E I C
J U K T O Z I Z M S K L M J D V
B B A M R I T C C M R J M O U F
Y D E R O M H O E A O G O T N I
F H U N T O M O S E S C N H T Y
T S H D M E M O T P U L P D O Z
```

of STONE,

and A LAW,

and

COMMAND-

MENTS

WHICH

I HAVE

WRITTEN; THAT

THOU

MAYEST

TEACH THEM.

And he GAVE

UNTO MOSES

TWO TABLES

Of TESTIMONY,

TABLES OF

stone, WRITTEN

WITH

the FINGER

OF GOD.

And the LORD

SAID UNTO

MOSES, COME

UP TO ME

INTO

THE MOUNT,

and be THERE:

and I WILL

GIVE

THEE TABLES

MONEY OF THE BIBLE

ADARKON
ALMOND ROD
  (figure)
ANTIOCHUS VIII
ASSARION
BRASS
CAVE of
  Machpelah
COINS
COMMERCE
COPPER
CURRENCY
DARIC
DENARIUS
DOWRY
DRACHMAS
FARTHING
GOLD
GREEK
JEWISH
KESITAHS
LAMB (figure)
LICENSE
MITE
PERSIAN
POT OF MANNA
  (figure)
PRUTAH
PURCHASE

ROMAN
SHEKELS
SILVER
SIMON
  Maccabaeus
STAMPED
STATER

TAXES
TETRA-
  DRACHMA
TRADE
TRANSACTIONS
VALUE
WEIGHT

```
N O K R A D A N Z G E E U L A V
C B T Y F T A T A X E S M N N S
H O M S V A S L S I M O N C I Z
I U M A C I R L M S S A R B S D
S I Q M L J I T Z O M R T E T F
H S I V E C E D H F N Z E Y A R
A U E V E R R W O I P D T P M E
T R A N S A C T I O N S R N P P
I R S P C U O E C S Z G A O E P
S E E H R P H U V T H K D I D O
E T M N P U R C H A S E R R O C
K A E D A R T G O N C E A A W C
S T S G E M I A I I T R C S R I
G S O N U E O O H I T G H S Y R
R L C M W H C R M B A N M A Q A
D Y S L E K E H S U I R A N E D
```

NEBUCHADREZZAR

```
H A I M E R E J N F M J E O E O
E I R S N E H T F O O T U W L A
W N L Y I N Z G O J C G Q T I N
A O F J D L A O U O U H N D X O
S L F R E Q U E N T L Y R I E X
Z Y C I M R T Q D F I A M S K S
O B N J A T U Z E L S H O T N I
V A I N N E N S D S A C A I G H
D B U W R G J W A S T H E N T Y
C G G O T U A L T L T R C G D B
A S R N D S O O E F E I V U A A
K O O E A P O I F L A M A I Q L
C Z A R O K K M U F K T E S C G
T N E B E E V R E P B N H H D A
S R A Z Z E R D A H C U B E N X
Y N J E B D Y N A S T Y Z D R O
```

HE WAS

RENOWN

as THE MOST

DISTINGUISHED

RULER

OF THE

CHALDEAN

DYNASTY

FOUNDED

BY HIS

FATHER,

NABOPOLAS-

SAR,

AND A

CONQUEROR of

NEBUCHADREZ-ZAR

WAS THE

KING OF

BABYLONIA,

FREQUENTLY

NAMED IN

JEREMIAH,

EZEKIEL, and

DANIEL.

JERUSALEM who

TOOK the

JUDEANS

INTO

EXILE.

PHILIPPIANS 4:7-11

And the PEACE
OF GOD,
WHICH
PASSETH all
UNDER-
   STANDING,
shall KEEP
your HEARTS
and MINDS
THROUGH
CHRIST Jesus.
FINALLY,
   brethren,
whatsoever
   THINGS
ARE TRUE,
and HONEST,
and JUST,
and PURE,
and LOVELY,
are of GOOD
REPORT;
IF THERE BE
ANY VIRTUE,
and if there be any
   PRAISE,
THINK
ON THESE
   things.
THOSE things,
which YE HAVE

```
Y  I  S  G  H  A  P  A  S  S  E  T  H  M  S  W
L  U  Q  D  E  N  R  A  E  L  Y  C  U  N  P  P
L  U  N  G  H  T  O  B  H  T  S  E  N  O  H  U
A  O  X  D  K  E  E  P  H  T  D  P  Q  G  T  R
N  F  O  G  E  R  X  E  H  E  N  S  N  T  L  E
I  G  O  H  E  R  E  Y  X  Y  A  E  H  L  R  T
F  O  W  H  A  T  S  O  E  V  E  R  T  S  E  A
D  D  T  Q  N  Z  O  T  G  H  O  J  T  N  P  T
W  F  E  A  Y  H  H  N  A  U  A  S  U  S  O  S
I  A  W  V  V  L  T  C  G  N  I  V  O  S  R  C
S  P  R  A  I  S  E  H  I  R  D  N  E  B  T  S
P  I  B  E  R  E  D  V  H  H  T  I  M  K  G  I
E  B  N  V  T  C  C  C  O  H  W  I  N  N  G  R
A  X  W  J  U  R  J  E  E  L  N  I  I  G  V  D
K  D  R  A  E  H  U  S  R  D  H  H  O  W  H  A
N  E  M  N  I  N  E  E  S  T  T  E  C  A  E  P
```

BOTH
LEARNED,
and RECEIVED,
and HEARD,
and SEEN IN ME,
   do;
NOT that
I SPEAK

in RESPECT
of WANT: for I
   have learned
in WHATSOEVER
STATE I am,
therewith to be
CONTENT.

THE PROMISED LAND

```
U A O F F S P R I N G E X M F M
P H S Z J A C O B N H G T O M Z
P H S S T G B A I O F Y G S D Z
A X S T U S E T A R H P U E E V
L T H C N R S R L S R T B S T N
E N E P B A A Q E N I M A F C I
S A C Z L H D N E K J O S H U A
T N H R P A C N C V A L T A R L
I E E I M O G O E E I B T N T P
N V M W U A T U C C R D M W S F
E O L R Y S H A E E S O E Q N A
N C A E E C N A T I R E H N I T
A G N V V A B H R E Q T D C C H
E O I B A A R B H B I I D O S E
H L I N W E R S P A A R R R R R
J O U R N E Y T F Y Y A O A R H
```

EVIDENCE

FAITH

FAMINE

FATHER (of a

  Great Nation)

Milk and HONEY

INHERITANCE

INSTRUCTED

ISAAC

JACOB

JOSHUA

JOURNEY

LIVESTOCK

Oak at MOREH

MOSES

OFFSPRING

PALESTINE

PHARAOH

PLAGUE

PLAIN of Moreh

SHECHEM

TRAVEL

ABRAHAM

ALTAR

ASSURANCE

BRETHREN

CANAAN

COVENANT

DESCENDANTS

Border of EGYPT

ENCOURAGE

EUPHRATES

  (River)

EVERLASTING

NAZARETH

NAZARETH WAS

A TOWN in

SOUTHERN

GALILEE ABOUT

FIFTEEN miles

SOUTHWEST

OF THE

SEA OF GALILEE

and

TWENTY MILES

FROM THE

MEDITERRA-

NEAN

WESTWARD.

IT WAS

PROBABLY

LOCATED

AT OR

NEAR

THE TOWN

BY THE

SAME

NAME in

MODERN

```
Z A F T S A W H T E R A Z A N G
R R T R U C C O T S H I Q D P N
E E A O M O D E R N S T T Q L N
M F H D R L B S A M E W M W E A
C E T T L Z A A U Q E V K O A T
N R D A S W G C E N L Y T Y R S
E E D I S E N P T E I Y L O S F
M N E U T W W Y O S L B O E I C
A C S T O E M H D L A I H D G T
N E E T F I R E T B G T L R Q X
J S A H L I T R O U F Z B A W Z
A G R E E A F R A O O S Y W G D
A D S T C W P G E N A S T T L R
Y F R O M N A Z A R E T H S A E
E K L W G O S P E L S A E E K D
Q I A N G S O U T H E R N W L N
```

ISRAEL.

REFERENCES

TO IT

OCCUR in the

GOSPELS and

ACTS,

AND ALL

AGREE

THAT

JESUS WAS

FROM

NAZARETH.

"E" BIBLE PEOPLE

```
Q U V E L I A H Z E E L E L N S
E A E B I A S A P H L L A Z A Q
H S A M Y L E T R G I P I B R X
A E H S U T S A R E S M A S E A
N S U T I D O R H P A P E L H P
A N L E A T M H O I B E N E E A
K U H L A O X P L F E A T U A T
L D N N C J L E O L T I N H D J
E M M A N U E L T H H I E S A L
U L U A H K O E A S C L H A E N
B R I M L P K N O E D A D I L E
U E U S A E A K Q A J S K L E L
L H Q Z H H L Z D I O E I E L U
U T B U I E T K L N Z Z V I L Z
S S D L B L B E E E S A I A S A
C E L I U D E A E D E B E S L I
```

EBAL

EBED

EBIASAPH

EHUD

ELAM

ELDAD

ELEAD

ELIAH

ELIAM

ELIAS

ELIDAD

ELIJAH

ELISABETH

ELISHA

ELISHEBA

ELIUD

ELIZUR

ELKANAH

ELKOSHITE

ELNAAM

ELNATHAN

ELPALET

ELTEKEH

ELUZAI

ELYMAS

ELZAPHAN

EMMANUEL

ENOS

EPAPHRODITUS

EPHRATAH

ERAN

ERASTUS

ESAIAS

ESAU

ESHTAOL

ESLI

ESTHER

ETHAM

ETHAN

EUBULUS

EUNICE

EZEKIEL

EZRA

JEHU

JEHU
WAS THE
SON OF
NIMSHI.
UNDER
PROPHETIC
MANDATE,
HE LED A
BLOODY military
REVOLT to
SEIZE the
THRONE.
He KILLED
THE KINGS of
BOTH
ISRAEL AND
JUDAH,
AND HAD
JEZEBEL
EXECUTED,
ANNIHILATED
the
DYNASTY OF
OMRI, and
OBLITERATED

the
WORSHIP of
BAAL.
YAHWEH
REWARDED his
FAITHFULNESS

by
ALLOWING
HIS DYNASTY to
LAST
FIVE
GENERATIONS.

```
H R B A F I V E G F O X W X K J
A E N O R H T K R O O P A W T M
D W P M I J I A E D G N Y L A N
U A O V E L R I D E K T O N Y H
J R C L L X V S N T S V D S B T
D D D E A D E E U A E A V A A O
N E D Y A S R C N R T K F L A B
A D T H N A T Y U E Z Y I L L Y
L D D A T A D C I T E H P O R P
E N E I L S S L J I E J O W E P
A W O L I I E T E L U D Y I H P
R N U H E J H I Y B Y S A N T B
S N I M S H I I Z O E S H G S K
I P I H S R O W N E F Z W P A R
H X A H T H E K I N G S E H W X
S S E N L U F H T I A F H J J J
```

JACOB

```
E R Y I V I G P E L B I B K S X
N H E D N N R E S O N O F Z J R
R T E T I E E E N O E H T N O O
Z I O T S E Q T W T Q A G J Z T
T W R E L K H H H A N D H E H S
A A N B Z E C G D C S H F O S E
P T U W O A I I H E I T E J F C
S O Q T A L N R R U C L H I I N
D R H S M R C H Z T A E H E S A
E E I A R E H T O R B S I H R A
R B R O T H E R O F O G E V A S
M E N E M V Z I X A C L S G E P
E K L H V R Y B R S A R O D L S
N A V T W E E T O O J P I M A X
K H N S J R R E G N U O Y S U J
M H K I U R M O C V G Z C F H P
```

in a

DOUBLE

LIGHT.

ON THE ONE

HAND, HE

IS THE

REVERED

ANCESTOR

(ISRAEL).

ON THE OTHER

hand, HE IS A

TRICKSTER who

DECEIVES

HIS BROTHER

JACOB

WAS THE

SON OF

ISAAC and

REBEKAH, and

the YOUNGER

BROTHER OF

ESAU. The

BIBLE

PRESENTS Jacob

INTO

PARTING

WITH his

BIRTHRIGHT.

And Solomon
GATHERED
CHARIOTS and
  horsemen:
and HE HAD a
  thousand
and FOUR
  hundred chariots,
and TWELVE
THOUSAND
  horseman,
which he
  PLACED
in the chariot
  CITIES,
and with THE
  KING
at JERUSALEM.
And the king
  MADE
SILVER
and GOLD
as PLENTEOUS
as STONES,
and CEDAR trees
made he AS THE
SYCAMORE
TREES that are
in the VALE.
And SOLOMON
  had horses
BROUGHT OUT
of EGYPT,
and linen YARN.
And they
  FETCHED up,

and brought
  FORTH
A CHARIOT
FOR SIX hundred
SHEKELS of
  silver,
and an HORSE
for an HUNDRED
and FIFTY:

and SO
  BROUGHT
THEY OUT horses
FOR ALL the
  kings
of the HITTITES,
and for the KINGS
of SYRIA,
by their MEANS.

```
T U O T H G U O R B F R K N T D
H S G N I K A H O G Q I E L A V
G U Z A N S I T R O N E F O I P
U O H H T T A C H A R I O T R S
O E F H T W E L V E D O K X Y E
R T E I M E L A S U R E J E S N
B N T L L A R O F R U E C P H O
O E C T R P L V C N O L D S O T
S L H A U O L C R H F N L Y S S
H P E U M O L A O S A E K C E E
E I D O S X Y R C S K R L A G I
H M N N I N S E U E D D I M Y T
A T A S B E Q O H L D S H O P I
D E R D N U H S O T S E E R T C
M O S O E T S G V S I L V E R S
F I Q B F V L D E O G D C F A S
```

JESUS FEEDING THE 5,000

```
A Q V S S P B L D V R E M A I N
A T U P S N A D J M L D Q O A Q
S U O U S E E P I P I L I H P S
W K S O V S C R O S L C C G S K
E H T R Y Q A E T S C H N S E A
R P E G E C P R I H T I E W R E
D R K A L V I N G P N L P B V R
N E S E L B O U Y E B D E L E B
A A A K U I O T V R O R J S E H
U C B T D N N E F O G E X T L S
A H E X E X N G F E S N H B I I
F I V E L O A V E S L S U Q L F
X N L C D O G S K N A H T H A O
Q G E B L F M G N I T T I S G W
I J W O L L O F D W O R C L R T
R E T V I L L A G E V G C Q L N
```

FOLLOW

FOOD

GALILEE

GRASS

GROUPS of fifty

HEALING

HILL

HUNGRY

LEFTOVERS

MIRACLE

PEOPLE

PHILIP

PIECES

PREACHING

REMAIN

SERVE

SITTING

SPOKE

THANKS GOD

TWELVE

BASKETS

TWO FISH

VILLAGE

ANDREW

APOSTLES

BETHSAIDA

BLESS

BREAKS

CHILDREN

CROWD

DISCIPLES

DISTRIBUTE

ENOUGH for all

EVENING

FIVE LOAVES

CALEB

CALEB WAS
THE SON OF
JEPHUNNEH,
WHOM
MOSES
SENT
WITH
ELEVEN
OTHERS TO
SPY OUT the
PROMISED
  LAND.
ONLY CALEB
  and
JOSHUA
ENCOURAGED
  the
PEOPLE TO GO
  UP and
TAKE
THE LAND.
BECAUSE
ISRAEL
ADOPTED the
MAJORITY

REPORT, God
IMPOSED on
THEM
FORTY
YEARS of
WANDERING

IN THE
WILDERNESS
UNTIL
THAT
GENERATION
DIED OUT.

```
E N C O U R A G E D N E V E L E
H F L Q G W I T H N Z T N T O B
T P E D M X I E F A K U R T A E
N Q A X P A N L D L D O Q A D L
I S R D T N J U D D P Y I K O A
M A S P U O G O T E L P O E P C
Q W I H Q Y E A R S R S P G T Y
S B P M O H G N U I H N E H E L
B E C A U S E N M M T N E O D N
J L N O J D T Z I O E Y T S T O
C A U T A I N A C R S H R U S Y
L C P F L U H A A P E E O N F F
F O N O S E H T L R M D S G M T
D E S O P M I S S E E O N E H W
T W Y T R O F T O I H L H A L Y
B A O E N N O F D J I T T W W Y
```

```
V S N E M N T R X G W U V R Y Q
G Z C Z S L G H A T J L O R D Z
H E J R L N T V E O X F U I N Y
N L P A I H E H U Y F D S N A T
Z P R D G B K S G F H T T D T K
R O A Y J W E E P U I E H K S O
F E S Y E H T O S N A C A E R O
R P C H B N G M C H I T T R E B
J F A F Y A H T A H S R I T D N
U A U V W A L H W A Z X S D N A
C D S X V Y D S A I D T H O U O
G L E V I T E S N M H D O G Q T
N S D R O W P R I E S T L F Y A
A E Q E E S U K L H M Y Y O U J
E B H P Z O G A G E T A U R Q D
R E T W M Y W T F N S R G M O I
```

WHICH is

the TIRSHATHA,

and EZRA

the PRIEST

the SCRIBE,

and the LEVITES

THAT

TAUGHT

the PEOPLE,

SAID,

THIS DAY

IS HOLY

UNTO

the LORD

YOUR God;

MOURN not,

nor WEEP.

SO THEY read

in the BOOK

in THE LAW

OF GOD

DISTINCTLY,

and GAVE

the SENSE,

and CAUSED

them

to UNDERSTAND

the READING.

And NEHEMIAH,

FOR ALL

the people WEPT,

WHEN

THEY HEARD

the WORDS

OF THE law.

ESTHER

Daughter of
  ABIHAIL
ADOPTED by
  Mordecai
AHASUERUS
  (husband)
Jews ATTACKED
  enemies
Prepared
  BANQUET
Tribe of
  BENJAMIN
Family
  DEPORTED
Haman
  EXECUTED
The king's
  FAVORITE
Original name
  HADASSAH
HAMAN plotted
HEGAI (keeper of
  the women)
JEWESS
King LOVED HER
MORDECAI
  (uncle)
PARENTS DIED
PERSIA
Discovered PLOT
  against king
127 PROVINCES

PURIFICATION
Feast of PURIM
QUEEN
RARE BEAUTY
King granted her
  any REQUEST
RESOURCEFUL
RISKED HER

LIFE
SAVED HER
PEOPLE
Palace SHUSHAN
Haman wanted
  TO KILL all Jews
Replaced VASHTI
  as queen

```
P Q N A H S U H S I N A M A H T
A U Y E H E U C T J V W M A S E
R E V T P A G H G O J O D E F L
E E I I D P S A X L R A U I C P
N N S R L A D U I D S Q L G U O
T P R O V I N C E S E R O F S E
S B T V U U A C A R E B V E A P
D J G A U R A H A H U S E X J R
I H E F D I C R D A M S D E Z E
E M B W K E E E B E I V H C F H
D I A D E B K I F K T S E U W D
J R N C E S H C P U K P R T O E
H U Q A I A S R A J L O O E Z V
C P U R I F I C A T I O N D P A
Z T E L I D E P O R T E D J A S
Y F T O K I L L N I M A J N E B
```

Puzzle Fifty-three

```
R Z Z B L L F J U S T F X F X A
D Q H E H S A A Q O R H P K L D
P J O F E C P T T O T C E J N I
A C R O S S N A M O N Q U A E U
F U O R H U U M H Q A N L V R I
N C A E B V O Z H R N D C W L K
A O V K O U H A I M E R E J E M
D C I Y N M F M G S V P H G B U
R O E T O X H N I I O C O B E Q
O A W D I M I M B J C Q R B J T
J P E K M D O J F B E L A T E R
T R D Q I R A S O O H Q Y L K N
N G T H P T D R E Q T R L M A K
X W H E D I E D T S F S D B X W
O B E N T N U O M N O T E M Y S
N R I C Y U A F H F Q N Z W D I
```

PROMISED

LAND

ACROSS the

JORDAN

BEFORE

HE DIED.

LATER

TRADITION

TELLS OF

JEREMIAH

HIDING

THE ARK

OF THE

COVENANT

ON MOUNT

NEBO.

FROM MOUNT

NEBO, PERHAPS

MODERN

JEBEL

NEBA

JUST

WEST OF

HESHBON,

MOSES

VIEWED THE

2 TIMOTHY 3:13-17

But EVIL men and SEDUCERS shall WAX WORSE and worse, deceiving AND being DECEIVED. But CONTINUE thou in the THINGS which THOU hast LEARNED and hast BEEN ASSURED of, KNOWING OF WHOM thou hast learned them; and that FROM a CHILD thou hast KNOWN the HOLY SCRIPTURES, which ARE ABLE to MAKE thee WISE unto salvation THROUGH FAITH which is in CHRIST Jesus. All scripture IS GIVEN by INSPIRATION of God,

and is PROFITABLE for DOCTRINE, for REPROOF, for CORRECTION, for INSTRUCTION in RIGHTEOUS-

NESS: That the man of GOD MAY be PERFECT, thoroughly FURNISHED unto all GOOD works.

```
N J Q W D F N F Y D S L E Y M K
I R A L M N O I T C E R R O C A
T X I F R O M O R A W R H B D G
Z H N G R T S I R H C W U N T O
C E R P H K P N X O F T S S D D
X S E O P T E W C O B C E N S M
F R Y E U D E V I E C E D O G A
U O T R L G P O E S U F U I N Y
R W E R D B H N U N E R C T I Q
N S N C I O A T I S O E E A H D
I N S T R U C T I O N P R R T O
S A H O L Y N T I A N E S I H O
H G N I W O N K R F F W S P O G
E H V D C L L Y K I O P O S U W
D E J E I S G I V E N R J N O K
Y M A K E L B A E R A E P I K M
```

OLD TESTAMENT CITIES

```
P T L E B A B R B F T V X L H D
D O D H S A S Z C L J O I G G N
I N A P B A C C A D E S L E E I
B M A Y A Z A G E N H H B A T C
S N L H C N L K O I O A T E D Z
L O E D P I R H L M B A G E G O
N R B X G O A O S E O B H A B R
I B E D N R H I H L N R W H T A
M E N M H E T S A A T D R Z N H
R H N P E Z R Z M S P S O A G A
A U O O V E L I M U R P L R H M
H O R S E B F K U R B O O Z S A
X G Z B N B Z L M E G N U J R R
F D E B I R I A Z J E R I C H O
T C A L N E H G O B M S H A E R
M E N U H S O D O M L U Q G D T
```

GATH

GAZA

GEBA

GIBEON

GILGAL

GOLAN

GOMORRAH

HEBRON

JERICHO

JERUSALEM

JOPPA

NEBO

NIMRAH

NINEVEH

OPHRAH

RAMAH

SHILOH

SHOPHAN

SHUNEM

SODOM

TOLAD

UMMAH

ZANOAH

ZIKLAG

ZORAH

ACCAD

ASHDOD

BABEL

BABYLON

BEERSHEBA

BELA

BETHEL

BEZER

CALNEH

DEBIR

EKRON

ENDOR

MOUNT HERMON

MOUNT

HERMON

IS THE

MOUNTAIN

THAT

FORMED

ISRAEL'S

NORTHERN

BOUNDARY.

AT OVER 9,200

FEET, IT

DOMINATES

THE

LANDSCAPE OF

NORTHERN

GALILEE

AND IS

SNOW-

COVERED

VIRTUALLY

YEAR-ROUND.

THE SOURCE

OF THE

JORDAN

RIVER

IS HERE.

```
N D S R C F B E H T S I P S J B
S O N N F O E P A C S D N A L Y
J M R W O A Y T L H I W Q O S O
I I M T M W X L E L Z U Y X B D
F N B R H P C R L B D M Z K E N
U A H E A E E O N A D R O J O U
F T S V S W R X V T U T E M C O
E E L I L A G N R E H T R O N R
W S E R D G V Q B E R E R R R R
U T S T R N E L S O H E V I E A
S H L Q I D A O T T U E D H V E
D E E H E T U Q N A K N T B O Y
Z O A M Y R X U G I H F D Z T Y
C J R L C D O Z P O O T R A A Z
X O S E R M O U N T A I N H R L
F V I I E K J Q W V C U O O S Y
```

```
H T E D N A T S R E V I R L O N
R G H G B Y H M O T E O F N R F
E N T D E K E H T N I S I M U V
T A F H L D G N S P O G C A O R
A M O Z I Y H D R W H L O G R A
W E W T K T G D E T A C U T A R
W H A T E V E R N T T L N R M P
Y T L K J L I P N J N A S Y M X
E N L U I K H M I D O A E I Q Y
H A F G F T B Y S E T V L S H C
W E H I E N E L H P R O S P E R
W T D T G F R D E H H T O D W E
O A T O H M N O L S R J A V K A
N I R F E A S G C E S H B D B Y
S L O B A T T N E S A E U S A G
S I H T U B H U G L O R D W C Y
```

SCORNFUL.

BUT HIS

DELIGHT

IS IN THE

LAW OF THE

LORD;

and in HIS LAW

DOTH HE

MEDITATE

DAY and

NIGHT.

AND HE shall

BE LIKE

a TREE

PLANTED

by the RIVERS

BLESSED

is THE MAN

THAT

WALKETH

NOT in the

COUNSEL of the

UNGODLY, nor

STANDETH

in the WAY

of SINNERS, nor

SITTETH

in the SEAT of the

of WATER, and

WHATEVER

HE DOETH

shall PROSPER.

CLOTHING IN THE BIBLE

BODICE

BONNET

BREASTPLATE

BREECHES

CLOAK

COLORFUL

COTTON

ESSENCE shirt

FANCY

FRINGED sleeves

GIRDLE

GOLD trim

HANDKERCHIEF
  point skirt

HAND SEWN

HAREM style
  pants

HATS

HEADDRESS

KILT

```
Z G B S K S D H F M I H A G O T
H N Y A S E U R A R A Y C N A F
J O O C I H S N A N I S E I Z K
K L W K M C T S D B D N T V I T
C D F C P E P K E E A S G A T E
I G P L L E E O S R R T E E H N
O I T O E R K H I S D D S W D N
S R Y T C B E I L N N D R T N O
C D N H H E T A L P T S A E R B
A L I A P B D S U T Z O Y E S H
R E R S T N L O I N C L O T H S
F E K E A E L U F R O L O C V N
M I O S S L M D E S S E N C E B
N B A S O O L V C O T T O N I V
Y S A I A B O D I C E I I R L O
H T U R B A N L B J D L O G S R
```

LINEN

LOINCLOTH

LONG sleeves

LOOSE fitting

MANTEL

ORNATE trim

OVERCOAT

POINT sleeves

SACKCLOTH

SANDALS

SASH belt

SCARF

SHEEPSKIN

SIMPLE

TABARD

TASSELS

TOGA

TURBAN

UNDERDRESS

VEILS

WEAVING

TONGUES OF FIRE

```
G V K E C W Y O Q O Y J I F C R
M W C D B L E A D E R R U C C O
P Z M L T H O R D L K S K V P Z
E N O S A W I F E E W L C E J U
E D U Q C P L H O A H I N J D Z
H B T J I M T H S S L T T V E F
T H P Y B T W T B O E L N M L S
T H O B A T H S B C O U K O L Y
I L U L I E W M O K I A G D I F
R G R R Y I Y S H A N C T N F L
I O I R T S T H A T P A N C O X
P P N H E B P H E N O M E N A T
S O G R T R X I G J W E H B B I
O X E Y A X I S R W E E X P W O
S W I M K J A F Q I R R K M T C
J K H C R U H C E H T N O Y Y V
```

ON THE DAY

of PENTECOST,

AS THEY

WERE ALL

FILLED

WITH

The Holy SPIRIT:

THE

tongues of FIRE

WERE SYMBOLIC

of the Holy

SPIRIT, WHO

CAME

TONGUES OF fire

WAS ONE

of the

PHENOMENA

THAT

OCCURRED

AT THE

OUTPOURING of

the

HOLY SPIRIT

IN POWER

ON THE

CHURCH.

LAMENTATIONS 4:11-12

THE LORD hath

ACCOMPLISHED

his FURY;

HE HATH

POURED

OUT HIS

FIERCE

ANGER,

AND HATH

KINDLED

A FIRE

in ZION,

AND IT hath

DEVOURED the

FOUNDATIONS

THEREOF.

The KINGS

OF THE

EARTH, and

ALL THE

INHABITANTS of

the WORLD,

WOULD

```
D E R U O V E D J E H T F O D C
L D V P A Y G E H T T A H T I E
R E E N L F R S T V K T B S N F
O V G H U U I A H H E A R T H O
W E P Y S P S R S O E F E D Z U
R I R A M I D I E R U R Q L L N
V L L N H E L D T R E L E U P D
J E N T R H N P Y D J V D O X A
M B U U C T E E M S U R D W F T
S O O D A D R C A O O X A A A I
G P W E O N E N R L C A Q S L O
N T Z L P A D V E E J C A H L N
I J K D K I N H A B I T A N T S
K D Z N T Y T N A H Q F D T H R
A N O I Z H E H A T H G A T E S
Z V W K E I N T O T H E L Y I Q
```

not HAVE

BELIEVED

THAT THE

ADVERSARY

AND THE

ENEMY

SHOULD have

ENTERED

INTO THE

GATES of

JERUSALEM.

SAMUEL

```
G F T S E S O M N Q F O E N O I
S R E D A E L Q Z A V S T L S E
O S Y L S U O U N I T N O C L S
E L P O E P L U E A E H O U E L
L R D F T B P L B N E D A N A I
I A B T B V I L I P Y S A N R N
J P R E E S I M E K R L K V S K
A P E N H S E S M O E O A O I E
H A K A H E T O F U K E P N O D
T R A M R J N A M L A R G H G B
O E E P N A U A M H M S I M E Z
B N R B R U S D T E G E A B A T
T T B C U O R I G I N A L L Y L
H L H N R K W S L E I T I N L N
E Y E D O N E B O O K K K S H V
L Q C A L L E D T H E T W O S G
```

(SAUL). LIKE NATHAN, ELIJAH, and ELISHA, he REBUKED both KINGS and PEOPLE ALIKE. He was APPARENTLY a JUDGE, OFTEN CALLED a PROPHET. He is LINKED WITH MOSES, as ONE OF ISRAEL'S PREEMINENT LEADERS. THE TWO BOOKS of Samuel RUN CONTINUOUS-LY, and ORIGINALLY were ONE BOOK.

SAMUEL oversaw the ESTABLISH-MENT of the MONARCHY in the OLD TESTAMENT. He was BOTH a KINGMAKER (FOR SAUL and DAVID) and king BREAKER

NEGEB

THE NEGEB is a
MOUNTAINOUS
DESERT
SOUTH OF
Judah BETWEEN
the
ARABAH
AND THE
MEDITERRA-
NEAN
SEA. ITS
NAME
MEANS
"DRYNESS"
BUT CAN
ALSO BE
SYNONYMOUS
WITH
"THE SOUTH."
ABRAHAM
AND ISAAC
SOJOURNED

```
H T L N U D N Z I O C E T E S S
A A M S E A I T S V V A H J S E
D T S S M E A N S E N V E V O S
U J E E W V W P N D W A C N U A
J R E A L L O T T E D T O O T W
T D E S H R U H E B E S N F H T
P R R T Y A E C U B T I Q C O I
M G I Y L N A T O O A M U A F C
A W H L N A O N F T R E E N Q N
H L Y T S E A N N A O O S A Q M
A W S I U C S U Y X P N T A L C
R Z D O T O O S W M R E I N T O
B N W U B M S S O J O U R N E D
A F B E G E N E H T C U T E K W
H A B A R A S C H D N Q S W H T
F N A E N A R R E T I D E M V T
```

THERE.
AFTER
THE CONQUEST
OF CANAAN,
IT WAS
ALLOTTED TO

SIMEON, but
EVENTUALLY
INCORPORATED
INTO
JUDAH.

```
B E K A M K S M T S Z H S P K T
W N C C S J A U Q H Y W E U L E
Y O H D F I Q R A I A A F T E R
L G N A Q W O R E L D T D M X O
B I H N O I S S I M E R H Y S M
M E D O D T E S L E E Z O E X O
W T F J S H A E U A H M I L P N
W I Y O T T C N N H Q T B C H I
H R L F R H K T T Z I A O E S P
E W O L Z E X I R U W V A T R C
R I H H I M A W Q P E R H A N F
E T D N A S N I S N T E T Z O I
O F F E R I N G A S R O X R N T
F T H I S I S N I E U M S F S A
K P E S O H T W W S A I D X I H
P N D S V B Z F K D N A M E H T
```

WITH THEM

after THOSE

DAYS,

SAITH the

LORD, I will

PUT MY

LAWS

INTO THEIR

HEARTS, and

in their MINDS
   will

I WRITE

THEM; AND

their SINS AND

INIQUITIES

WILL I

REMEMBER

NO MORE.

NOW where

REMISSION

OF THESE

IS, THERE

IS NO

more OFFERING

FOR SIN.

WHEREOF

the HOLY

GHOST

ALSO IS A

WITNESS

TO US:

for AFTER

THAT HE

had SAID

BEFORE,

THIS IS the

COVENANT

THAT I

will MAKE

THE HEALINGS OF JESUS

AMAZED

BELIEF

BLIND

CAPERNAUM
 (village)

CHAINS

Edge of CLOAK

COFFIN

COMMAND

CRIPPLED hand

DAUGHTER

DEAF

DEMONS

Boy with DREAM

FARMS

FASTING

FELL to knees

FEVER

FOLLOW

Sea of
 GENNESARET

"GO HOME"

HANDS

JAIRUS

LEPER

MERCY

NAIN (village)

OFFICER'S
 servant

PARALYZED
 man

"PICK UP your
 bed"

PRAYER

RAISES MAN

SPEAK

Evil SPIRITS

STRENGTH

SYNAGOGUE

THE MOB

TONGUE

TOUCH

VILLAGES

WALK

```
T C J N S D U K S R E C I F F O
E K M M N E L Y C R E M Z E E S
R D D O U Z N V K A Q S N I V W
A T S N I A N P I C K U P L E A
S O H M G M N F M L L E P E R L
E N T O R A Z R A R L Z Z B A K
N G G N R A I S E S M A N M A K
N U N K I H F T R P R P G O R X
E E E T L F H S D C A Y L E H H
G A R C G G F N P R H C Y Y S S
N K T L U O H O A I S A D Z U T
I Q S A L C H L C P R N N R G D
T W D L U E Y O D P I I I D E R
S Z O O L Z F J M L K A T A S U
A W T H E M O B B E J E F S H V
F G U D S N O M E D N A M M O C
```

```
G N I R E F F U S G N O L L Q X
O T N U P U Q T G O O D N E S S
L F I R S T O L U F I C R E M W
O F Q L O N Y B L G S Q O S M C
R O U P E T A B L E S U S O O D
D U I D E S C E N D E D J R S G
R R T S K C Y D T T R U T H E N
I T Y D T L H N E K G O P N S I
H H H N R O A I E D S U E N V N
T H I A S D O R L U N R I I X R
R N E S N R U D O D A A S L D O
L X U U H W E I E T R I M U T M
X K B O R A C H I W T E O M E Y
D A W H M A N O T I E L N R O T
G U V T R I N D N A C H C B U C
C O H G S F T G D D F Y H Z G N
```

tables.
And the Lord
DESCENDED
in the CLOUD,
and STOOD with
  him there,
and proclaimed,
  MERCIFUL
and GRACIOUS,
LONGSUFFER-
  ING,
and ABUNDANT
in GOODNESS
and TRUTH,
keeping MERCY
for THOUSANDS,
forgiving
  INIQUITY
and
  TRANSGRES-
  SION
and SIN,
and that will BY
  NO means
clear the GUILTY;
VISITING the
  iniquity
of the FATHERS
  upon
the CHILDREN,
unto the THIRD
  and
to the FOURTH
GENERATION.

And he HEWED
two TABLES
of STONE
like unto the
  FIRST;
and MOSES
ROSE up
EARLY in
the MORNING,

and went UP
  UNTO
MOUNT Sinai,
as the LORD
had
  COMMANDED
  him,
and took in HIS
  HAND the two

"S" BIBLE PEOPLE

SADDUCEES

SALOME

SAMARITANS

SAMSON

SAMUEL

SANBALLAT

SAPPHIRA

SARAH

SAUL

SELAH

SENNACHERIB

SERAIAH

SERGIUS

PAULUS

SETH

SHADRACH

SHALLUM

SHALMANEZER

```
N I N R R A G M A H S S X I E S
H S A M S O N W E H G H O V A G
K T U H C A R D A H S E E P F S
S M E L E M O L A S T S P M Y O
E X Y S U Z M E H C E H S R I L
R S E N N A C H E R I B I T U O
A E W Z N A P F S R S A R A H M
I A Z E S S T S A U N Z S L Z O
A R Z E N A U I U S S Z N L H N
H E S O R N D S R I P A W A A L
R S H P A A C D H A G R N B M E
V I A V S H H A U A M R M N M U
S S L I Z P L S H C P A E A A M
L I L H L E I M U L E H S S H A
S A U Y S T E P H E N E A T S S
S I M S O S I P A T E R S T G R
```

SHAMGAR	SHEM	SOLOMON
SHAMMAH	SHESHBAZZAR	SOSIPATER
SHAPHAT	SIHON	STEPHANAS
SHAREZER	SILAS	STEPHEN
SHECHEM	SILVANUS	SUSANNA
SHELUMIEL	SISERA	SYRIANS

THE FLOOD

```
N E H W P I S O L J T Y N L H F
O C R I M P S L M R A X I E R O
I H H E A V Y R A I N P G S I R
T S E X N F O S O M C W H S G T
P T T E K F O E E V I S T E H Y
U N A C I N I U S A I N S V T A
R A D E N A X P N Z L V A E E H
R P N Q D S E R U T A E R C O W
O U U L A C E Z W B A O V U U I
C C N A I L A O W E L I E E S S
B C I M O N B O H K C H N S L T
Y O E H W Y B D L G E N E S I S
Y N I V T N M O U N T A I N H R
S S V W I R F T H E L P O E P B
T N O A H S A R K A G R M V Z Y
G I R E C E D E S I M O R P R L
```

HAM

HEAVY RAIN

INUNDATE

JAPHETH

MANKIND

MOUNTAIN

  (tops)

(Forty) NIGHTS

NOAH'S ARK

OCCUPANTS

PEOPLE

PROMISE

RAINBOW

RECEDE

RIGHTEOUS

RISE

SEA LEVEL (rose)

SHEM

Great SHIP

SPECIMENS

SURVIVORS

TWO BY TWO

VESSEL

YAHWIST

ANIMALS

CORRUPTION

CREATURES

CUNEIFORM

  (tablets)

EARTH

ELOHIST

FOLKLORE

FORTY (days)

FOUNTAINS (of

  the great deep)

GENESIS

ENOCH

ENOCH WAS A

SON OF

JARED and

the FATHER of

METHUSELAH.

ABRAM

WALKED

 "BEFORE GOD"

BUT OF

ENOCH AND

NOAH

ALONE

IT IS

WRITTEN

THAT

THEY WALKED

"WITH GOD."

```
W C E I D O G H T I W Z V Q Q Z
Y H N E M N T H E Y W A L K E D
A R O C O M I N G X E D S T F O
G I C W T H O W H G U O R H T G
I S H S I A A R I S N O T Y N E
F T A I J L H F T O A I T I X R
L S N T K E L T F A A I S H H O
C M D I W S N B S F L S N E E F
X D N C I U G E E A A I T T A E
R G E J T H G N T P W Y T T S B
B N N V H T Z R D T P D H Y F D
U I O U O E O H F I I E O H O E
W V L Z U M T F F R R R D G T K
I I A V T A E I H A O N W H U L
J L O K E D E R A J T M A R B A
N P D D A S A W H C O N E M W W
```

WALKING

with GOD WAS

FAITH.

HE TYPIFIES the

SAINTS

LIVING at

CHRIST'S

COMING

WHO WILL BE

REMOVED

FROM

MORTALITY TO

IMMORTALITY

WITHOUT

PASSING

THROUGH

DEATH.

```
S T V P K H C I W I H A X F T O
E E H T Y A R P I P Y M E U T S
F E V P J M A O B O R E J R C J
L L E A U H C Q V M H O L I H S
E L M H O P K E L P O E P E F D
S E A N T L N T A B I J A H J L
Y F E H D L E D A A I S L L E O
H Y V E S S L E C H N M I H O T
T D M X U U S E K D W D T F A H
Y I O R O I U O T H O U G H B E
T A C H U A S C C D N W I E Q S
H S S G Z C R H M L K J C W T O
D I S L T O H I S O A O X A M N
K I N G E O F L S H M P K U D R
D E M G H W B D Z E D E U Y Y W
Y Z Y Y X R E E Q B T S V P G C
```

TO BE

the wife of

JEROBOAM;

AND GET thee

to SHILOH:

BEHOLD,

there is AHIJAH

the PROPHET,

which TOLD me

that I SHOULD

be KING

over this PEOPLE.

And TAKE with

thee

ten LOAVES,

and

CRACKNELS,

and a CRUSE

of HONEY,

and go TO HIM:

he SHALL

TELL THEE

WHAT shall

BECOME

of the CHILD.

At that TIME

ABIJAH

THE SON of

Jeroboam

FELL sick.

And Jeroboam

SAID

TO HIS wife,

ARISE,

I PRAY THEE,

and DISGUISE

THYSELF,

that THOU

be not KNOWN

JEZEBEL

King AHAB (husband)
Ahab died in BATTLE
Dogs licked up Ahab's BLOOD
Devoured BY DOGS
Committed CRIMES
God sent ELIJAH
Daughter of ETHBAAL
EVIL
GRUESOME DEATH
IDOLATER
JEHU had her killed
MALIGNED
Naboth MOUNT CARMEL
NABOTH
Was NOT BURIED
Tried to OVERTHROW worship of God
Built PAGAN TEMPLE
House of Ahab PERISHED
Murdered PROPHETS
QUEEN of

```
C L E S K L D Z R E T A L O D I
A T A H T O B A N U Z E H G L O
Y W A A O H Q B A T T L E A X B
U H I L B J R R S T T H A I B Y
P Y B N E H W E R S O B L D D D
A D D H D V T A E K D H X E M O
G R U E S O M E D E A T H O S G
A A W G K P W E P J U S U D R S
N Y R O L C T P I G I N N J S Q
T E P E R N I L E R T A U Z T H
E N D O E H E W E C U I D C E W
M I O P S L T P A F S N E R H F
P V E R D E I R U B T O N I P S
L R O N D V M V E B N D O M O A
E W M Q U E E N E V I I T E R O
X H M A L I G N E D O Z S S P U
```

Samaria
Ahab REPENTED
RUTHLESS
Naboth STONED to death
Thrown down by THREE EUNUCHS
TRAMPLED by

horses
Wanted Naboth's VINEYARD
WICKED
Thrown from her WINDOW
WORSHIPPED BAAL
ZIDONIAN

CARMEL

```
E H T F O W B D V E R Y H S R X
X N E H T A E H X F L D O O T S
E T M E K F S Q A G A I N S T U
X S C N E M T E F I W F J E R O
E A O A R H C V B T N C H A B N
I W T S T X T H I I E P I B H I
N E N V S L R U U S O R D T A A
D P R O M E N T O R Y E E N Y T
N Z M T F M N H P S L S V X N N
D Z H U L R W D R A I I A Z P U
B E S C A A B N N B F D S Z K O
M E R F B C Y R B I E E T H D M
D Q I D A D E T A G K N H S T R
W A S A N D L Y F A B C E T U N
H S C S O U D A V I D E O O I J
M K J M J C H L N L F G F O X E
```

FOUR
HUNDRED and
FIFTY
HEATHEN
PROPHETS and
DEFEATED
THEM.
IT IS
BEST
KNOWN
AS THE
RESIDENCE of
the
VERY
CHURLISH
NABAL who
REFUSED
KINDNESS to
DAVID and
WHOSE
LIFE was
SAVED by the
TACT of his
WIFE
ABIGAIL.

CARMEL
WAS A
MOUNTAINOUS
PROMENTORY
JUST
SOUTH
OF THE

MODERN
CITY of
HAIFA.
At Carmel,
ELIJAH
STOOD
AGAINST

1 THESSALONIANS 5:9-13

FOR GOD
hath NOT
APPOINTED us
to WRATH,
but to OBTAIN
SALVATION
BY OUR
Lord JESUS
 Christ,
who DIED
FOR US, that,
WHETHER
we WAKE
or SLEEP,
we SHOULD
LIVE together
WITH HIM.
WHEREFORE
COMFORT
YOURSELVES
 together,
and EDIFY
ONE another,
EVEN as
ALSO ye do.
And we BESEECH
 you,
BRETHREN,
TO KNOW

THEM which
LABOUR
AMONG you,
and are OVER
 YOU
in THE LORD,
and ADMONISH

you;
and to ESTEEM
 them
very HIGHLY
in LOVE
for their WORK'S
SAKE.

```
Y A D M O N I S H Y E R C B R Z
Z P W B Z E U B W A U N Y U T W
F P R U C O S R T O K N O W S D
O O U U N I A T B O R Y Z P C E
R I O J Y T H A E E B K V W T I
U N Y I H F L M J E S U S C Z D
S T R P I S I A J A M E O N Q R
W E E E O B I D L Q I M E T H O
B D V E B L O V E R F V K C P L
D M O L W R A K E O E R A H H E
O L F S E T E H R Y O E S I I H
G D U J I S T T S V L K T G D T
R E R O F E R E H W I T H H I M
O L N I H S I U K R E V I L E N
F K A W H S W D O A E Z I Y O M
N K R X G N O M A Y W N D T R O
```

```
P P T E S T A M E N T M Q P L I
P Q I P D T D E N I A G E R A T
U B R O A E E B N S S T R U C K
Z E Q F U T R A T U G V S H I Q
G C R J C S I E D X T O A F L E
V O V O L U R E D F V R O F B A
F M M B A P W U N I A X O D I F
S E I T I M A L A C S S E F B X
S A G E B G S E T Y E N T Y U V
K J C H R R A E S R I A O W T Y
G E G S E I R E S A V D E C H L
S E D M V W D U M R R A O T E L
J S R N O L A E C E L H I G F A
K O O B R O R S A T P A P S N N
F H E O P A L J H I F O E N O I
D W W S T O R Y N L S I H N I F
```

BUT HE REMAINED STEADFAST IN HIS FAITH IN GOD. FINALLY, he REGAINED his FORMER GOOD FORTUNE. The PHRASE, "the PATIENCE OF JOB," COMES from this STORY. This Old TESTAMENT BOOK of Job is CONSIDERED ONE OF the LITERARY MASTERPIECES of the WORLD.

Job WAS A BIBLICAL CHARACTER WHOSE patience has BECOME PROVERBIAL.

HE WAS a WEALTHY and PIOUS man. A SERIES of CALAMITIES STRUCK Job,

NEHEMIAH

NEHEMIAH WAS

THE SON OF

HACALIAH,

GOVERNOR

OF THE

PERSIAN

PROVINCE of

JUDAH,

AND THE

MAIN

CHARACTER

IN THE

BOOK THAT

```
D A E Q B O O K T H A T E V U N
U J M H I E O D W J H N J B I A
C R D E T P E C C A U K D A N I
L H S E H N B P T S T D M T T S
M L A A D L I N B H L U A H H R
T O P R W L E L E L X O I H V E
E D R R A H H W L D F S S H G P
M H O F E C A N L T N Y R L O P
P C V M E L T I H A Z L E O V X
I T I S L M U E M Q H L P F E N
N A N S Z B A E R E L A N E R P
H S C O E O B C O N H R I E N X
I U E R M E L A S U R E J F O H
U S O H A I L A C A H N N J R E
H T M R Q D F O N O S E H T H X
L E S W I X Z D N L I G P E T Q
```

BEARS

HIS NAME.

IT IS

GENERALLY

ACCEPTED

THAT

NEHEMIAH

CAME FROM

SUSA

IN PERSIA

TO REBUILD

THE WALLS

OF JERUSALEM.

```
R A E Y J F W F S H T R U O F Y
O W N A F H A H D T O N A G E B
O K G L E N G T H D I U O Y H T
L H I R J D C Y H A U B S B H S
F A E D E H T E R E H W U E E S
G I R P E N S E R R R I L C S G
N R D H E T T O W B L B O U O N
I O E W C F C A W D Z N R P L I
H M T J A S P U Y V D P D R O H
S I R M E P J E R U S A L E M T
E N N E E B F O R T H E D P O D
R C R A M A U K P T S O A A N S
H H R O N T S S N L N N V R J E
T E N V D R B U I P A B I E A Z
D T S R I F O J R T O C D D N S
H A O U E M X E K E E S E H T H
```

THRESHING-FLOOR
of ORNAN
the JEBUSITE.
And he began to
BUILD
in the SECOND
day
of the second
MONTH,
in the FOURTH
YEAR
of his REIGN.
Now THESE
are the THINGS
WHEREIN
Solomon
was
INSTRUCTED
FOR THE
building.
The LENGTH
by CUBITS
AFTER
the FIRST
MEASURE
was
THREESCORE
cubits,
and the
BREADTH
TWENTY cubits.

Then SOLOMON
BEGAN to build
the HOUSE
of the LORD
at JERUSALEM
in MOUNT
MORIAH,
WHERE THE

Lord
APPEARED
unto DAVID
his FATHER,
in the PLACE
that David had
PREPARED
in the

THE PARABLES

AUTHORITY

BANDAGE

wounds

EXCUSES

FEAST

FERTILIZER

FIG TREE

FIVE

GARDENER

GOLD COINS

GOODNESS

GREAT

HANDKERCHIEF

HELP

JUDGE

MESSENGER

MONEY

MUSTARD seed

PHARISEE

PILE RICHES

PLANT

PRODIGAL SON

RICH FOOL

SAMARITAN

SERVANT

SILVER

STONE

STRANGERS eat

TAX collector

TENANTS

TEN GIRLS

UNDERSTAND

VINEYARD

```
E E S I R A H P R T S A E F R E
J H D O G M M E S S E N G E R X
S L A X O F N Y N J O N Z T D C
S S L N L E H L T T S I A P N U
E E E W D Y E E S I L X R N B S
N Y H R C K N R L I R L I D T E
D I A C O G E V T P E O C N A S
O G R M I G E R A G V Z H A A B
O N U R N R E R C X I Z F T Z E
G V L A S F E Q I H F F O S U G
K S R I N O S L A G I D O R P A
T T D R A Y E N I V E E L E L D
S A M A R I T A N P E G F D A N
Z S E R V A N T T S A O D N N A
W X D R A T S U M W B S S U T B
N B G Y G A L Q J C D Y N T J F
```

EPAPHRAS

```
T N M L I D L L I W E H T I I J
N O I S S E C R E T N I S W T J
A C N G W D R A E D E S I R E D
V Q I V R N N L F W O L L E F M
R F S O G E P A U B S U P H E E
E D T R O M E B T P Y A K T T U
S B R C O M R T A S P P B O A Z
I D Y C T O G H I H L S A T T Q
H N J F U C R T R N P A C U S W
R M A G F E E A N L G W K N L R
O X H L P O S F R E T S I N I M
F T O A L Z U S R R S T N E R X
L M U F E M T N O E S Z H C X C
I L R X D P H P D L P T D J E O
A O N V F E E N R E O F G O D P
M U Y Y I R M C H U R C H C L J
```

PAUL A

REPORT of

THEIR

STATE and

SENT

BACK

GREETINGS to

THEM

FROM

ROME.

COMMENDED

BY PAUL

FOR HIS

MINISTRY of

INTERCESSION,

he

DESIRED their

PERFECT and

COMPLETE

STAND

IN ALL

THE WILL

OF GOD.

EPAPHRAS
WAS PAUL'S
"DEAR
FELLOW
SERVANT" and
MINISTER

TO THE
CHURCH at
COLOSSE,
PERHAPS its
FOUNDER. He
BROUGHT

SOLOMON 2:1-4

I AM THE
ROSE OF
SHARON,
AND THE
LILY OF the
VALLEYS.
As THE LILY
AMONG
  THORNS, so
is MY LOVE
  among
the DAUGHTERS.
AS THE
APPLE tree
AMONG THE
TREES OF
the WOOD,
SO IS my
BELOVED among
the SONS.
I SAT
DOWN
UNDER his
SHADOW
WITH
GREAT

DELIGHT,
AND HIS
FRUIT
was SWEET
TO MY
TASTE. He
BROUGHT

ME TO the
BANQUETING
HOUSE, and
his BANNER
OVER me
WAS LOVE.

```
F R V C X K F L I W Y G D K O O
S Y E L L A V S A K X G O T W T
N Q E B T G H F P A D G W A E R
J Q P C E A J L P E S O N E H E
Z O V E R L S R L E D T V R T E
P G A O I C O I E A H O H G G S
R E N N A B G V H D L T B E N O
K V N I M H Z S E S N N D R O F
Z S R E T H G U A D V U O N M Q
B T I P H E R W A N D H I S A G
N R F T E W U O D F T O E M P S
G H O U S E O Q S G F T Y Y N W
H M Y U M K T O N E S L H O C E
Y T L W G A E O D A O M S A F E
X S I O S H M D T V B F R U I T
D V L W Q A T H E L I L Y W O X
```

```
G P D P E E K O T U J Y R E V E
N Y E Q U M T V X G G D X U K C
I S H A M E A S U R E Y D O B A
D P S T C D S S Z S P I R I T R
R W H E R E W I T H I G O K T G
O O E U N O P X B F G E L H I O
C E V K N I W O O A V I R Z N A
C D E M O T L R H O P O F E Y N
A E N J I H B W B C U T G T H O
M L A M T E B A O G O O I C T T
F L S J A R Q U H L D N E S I H
J A W R C E W Q T F U E B N M E
W C I X O F A L L U S O Y F Q R
E N N T V O L X R E N O S I R P
G I F C H R K J B D U T P O X Z
J G N I R E F F U S G N O L Q W
```

FORBEARING
one ANOTHER in
   love;
endeavouring TO
   KEEP
the UNITY of
the SPIRIT
in the BOND
of PEACE.
THERE IS
one BODY, and
   one Spirit,
EVEN AS ye are
   called
in one HOPE of
   your calling;
One Lord, one
   FAITH,
one BAPTISM,
ONE GOD and
   Father
OF ALL, who is
ABOVE all,
and THROUGH
   all,
and IN YOU all.
BUT UNTO
EVERY one of us
   is
given GRACE
ACCORDING to
the MEASURE of
the GIFT of Christ.

I THEREFORE,
the PRISONER
of the LORD,
BESEECH you
that ye WALK
WORTHY
of the
   VOCATION

WHEREWITH
ye are CALLED,
With all
   LOWLINESS
and MEEKNESS,
with
   LONGSUFFER-
   ING,

NOAH

NOAH WAS

THE SON of

LAMECH,

and the FATHER

of SHEM,

HAM, AND

JAPHETH. He

was THE HERO

OF THE

BIBLICAL

FLOOD

NARRATIVE, and

the

FIRST

VINTNER.

Noah FOUND

FAVOR

```
N P D D J B Q Y N Z R N X D B I
O H T G E A N O B E E B K H B M
S E S S B R J A P H E T H R S Z
E U D E R Y E O T D A T E I A K
H D D M R I P T S R F H A F J K
T T E S T U F H N U T R A X S Z
V H E Y L L T T A E R T O A I I
S E S A O A C A G M H V W M L M
A H T O P C F O E E A H I M A M
N E D E V I T A R R A N N V M D
D R Z X H L G O Y O C D D X E L
H O F K W B R E N T N I V L C D
E F F A M I L Y R F T Z U C H O
H T I W V B G G W N R G X O X G
M H X K F O U N D X E C K L L A
F E X A H T R A E E P X T X O V
```

with GOD,

AND HE,

TOGETHER

WITH his

FAMILY and the

SEED

of ALL

living

CREATURES,

ENTERED

the ARK and

SURVIVED

the DELUGE.

FROM them

the EARTH

was THEN

REPOPULATED.

```
E V E R Y A W L A P O G F Q G T
M H W L C W Z Q R G N I H T O N
A B C N O I T A C I L P P U S E
S E F Y S N Y M V N E M L L A M
W L U A T E G I N T R E A T T E
M O Y O R N G E H O A D Z S H L
O V M O D S Y E D C N L R E A C
D E V E K I R S L A E E I B N R
E D N N N E A T T U E E O L D K
R S A W F N F S L H F U S U C C
A H W O O B R E T H R E N E N C
T R R N E R P U L E Y T R H B G
I E B K B S C Q D L O Y H A H I
O R E J O I C E R G O R X A C Z
N H U G N L B R O J H W W X T P
D C H J D K Q D L H T I W S G U
```

THEE also,
true
  YOKEFELLOW,
help those
  WOMEN
which
  LABOURED
WITH me
in the GOSPEL,
with CLEMENT
  also.
REJOICE in the
  Lord
ALWAY:
and again I SAY,
  Rejoice.
Let your
  MODERATION
  be
KNOWN to
ALL MEN.
The Lord is AT
  HAND.
Be CAREFUL
for NOTHING;
but in EVERY
  thing
by PRAYER
and
  SUPPLICATION
with
  THANKSGIVING
let your
  REQUESTS
be made known
  UNTO GOD.

THEREFORE,
my BRETHREN
dearly BELOVED
  and
LONGED for,
my JOY
and CROWN,
so STAND fast
in the LORD.

I BESEECH
EUODIAS and
beseech
  SYNTYCHE,
THAT they
BE OF the
SAME mind in the
  Lord.
And I INTREAT

Answers

PUZZLE 1

PUZZLE 2

PUZZLE 3

PUZZLE 4

PUZZLE 5

PUZZLE 6

```
S E C A L P G A N E H T N I T T
S T H E R E Y R W Z B N A G C Z
D H V T Y L A C O V E N A N T Y
O E B X E H K T D M A R L I V E
E M E F B S Y T E B S J J S S H
S K A M S C U H M I T I L S F T
A S L L L P I A O A S A E E Q H
E B E J E L S D C Z K N A L C G
C E L A L E E S A Q R E L B N C
P I C E S Q H W D E B A E F H I
E E G W S O J F D O H G Y O F L
N U E J W S N L X S O A H T V L
I F E E L L I X W D N A W B U F I
B D R P X W P N K J O N U O R W
P T N V H I A Y G N H H L A U I
O A P A F L I U R D Z G W B Z T
```

PUZZLE 7

```
P U S T I B U C Y P R E S S U N
S N O I T C U R T S N I N W O O
V H H O U S E W A Y O O M A E B
H S U O M R O N E T I E H F G K
E M K O K D C O T S T G S I O C
I L O G N T H F N H A U L G P E
G R B I U A G E Y R R L E N H D
H B W A M C M E U X A E V I E O
T G R B T I O N N A P D E R R O
O Y E E D S O D N E E I L O W L
C R S N A R W A T E R P R O O F
S A I C E D O Y L R P A F M O L
T I N D L S T O F G O I T L D O
P N O I J I X H D E F L T I A A
S O U Y C L E S S E V N S C O T
E B S L O P I N G L O B A L H N
```

PUZZLE 8

```
O P H G W H E R U N C L E D Q O
I D J Y T T R R E M V J A E O F
J T S A C E E H T B Y M S K T D
I A E S H R W H T D J J A U S E
V D N W O G Z J T S O P W B A N
R W A D I B O T G N I R R E P O
T S I X M H Y P H L H O E R I S
T A R C N A G W I X T O W H T I
S T E W K P R H O H S X J Z N R
I I A R P E P R E O Y D Y W A P
T S Q L G D D R I O A D I Q D M
P F K B O H Q D C E W I A D O I
A Y Y R E T H G U A D D N A R G
B W E D E R I S E D E R U C E S
W H O M A R R I E D R O M E H H
S I H T U B E M E H C S U P J P
```

PUZZLE 9

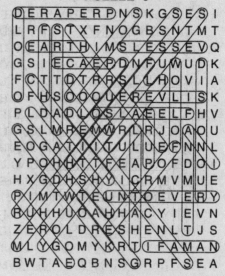

```
D E R A P E R P N S K G S E S I
L R F S T X F N O G B S N T M T
O E A R T H I M S L E S S E V Q
G S I E C A X P D N F U W U D K
F C T T O T R R S L L H O V I A
O F H S O O Q U E R E V L I S K
P L D A D L O S L X A E E L F H V
G S L M R E M W R L R J O A O U
E O G A T I X T U L U E F N N L
Y P O H H T T F E A P O F D O I
H X G D H S H Y I C R M V M U E
P I M T W T E U N T O E V E R Y
R U H H U O A H H A C Y I E V N
Z E R O L D R E S H E N L T J S
M L Y G O M Y K R T I F A M A N
B W T A E Q B N S G R P F S E A
```

PUZZLE 10

```
M O M F G T H G A A L S X U G Z
M E T O C I W A N G E L F G T C
N H S H A S D E L I L A H N H D
T U E S N B E E N A K H S I A L
J D T E A I R N O T X O L N J N
K Z I B A G E S N Y D N R R I
J F V I N W E L T T R O R U A B
O P E R I Z Z I T E S N N B M A
T A L T T W W M N U P I O E A J
H C E L E M I B A P G M X L H M
A B H K S H M M R O A U I G J
M I T I C I I I O U S J E R H E
S R E O D C E L N U X N R O T P
Y T B I A S I T R N O E M I S R
W H A H T H P E J D E B O R A H
H N S S S F J U D A H A A W X J
```

PUZZLE 11

```
Z H Y Q E H I J Z J B H N A D S
Y W W H O M G O D A W O N O W A
E H T N I S Y U T U M D O A K W
G R B F G V M H O O U Y S F K E
S O O Y G A S K L R X T T O S H
W M D F Z H G O I Z H E M T X R
D N B S E T S A A E O T A R D E
E T A B J V H Y I H D B I U I T
C V A H K U O E S N L K N O V A
N X R R T F D L P I S R P C A U
U S D I V A D G S R N T R C D N
O N Q U Z T N H E D O S O D H C
N S T R O P E R B M O P P Y T M
O D I V A D G N I K E G H H I G
R O F D I V A D N O Z N E E W D
P I H I S C O V E N A N T V T F
```

PUZZLE 12

```
O B H T A E R B E H T E D A M A
L S E O U T H G I S H L L Z B D
G V O C S P D O O F R O P H S M
R L O U A E E F K A F O S L A I
O E U R L M T H O L I V I N G D
U W T W F M E N E E F R O X T S
N E O A F K E T A R T F I E S T
D N F I W B E F O S E N Y F U V
K T T N N H R M O G A H A I D N
T O H E T L N L U R E T L Y E
O U E D N H Y O V W R O L S P D
N T N E E O R R X M O H W P O R
H A E N A D E M R O F M E O Y A
W J C V G V V N Y Z Y G G A N G
B E O X I E E B R E A T H E D A
Y O D R Y L R D R A W T S A E S
```

PUZZLE 13

```
Z R E W O P D I J W N B Y J J U
M E S S I A H Y I E A R B S S C
E C W M D L A L L U T E E L A G
S E N O T S D P W S I A D E L Z
O B J D Y E M B I C O D J G V
V Q F G R E E N E D N Y O N A W
M O U N T A I N M A S D T A T V
Y E E I M M H O L Y S P I X R I T
S S L K A S R C E W C T E C O O
S J A A O I T N O S E G S H N F
T E G T S E R R W B N H E K U L
H S S K A U D O U U W T T J W I
G U S R O N R P H G J M K T J V
I S O J E L J E T E G S A M A E
N U H S D V K P J R G L O R Y M
U X B M E L C A N N I P E D K B
```

PUZZLE 14

```
S O U E M P U I G E H T F O E D
A X E O A F O N O S E H T G X
W A N O S K I A V O T H E R G S
R V U O K R L M H K W A D X A L
A D A V I D B Y R I K D I F Z U
H V F U L T R Q J Z M H T S J A
T L O P L C C O F M P E S G I S
A N O Q E B Y U W D R L L S G G
I O P R D F D G R S S P J E I W
B B H A D T X O L D X T H E V C O
A O E T R L X R S W S D I L S H
N N G N I K I E H D X N N R J W
D T Y A S W I I B I G P I K M A
B A T R T R O G O H M F Y H A W
Y H W D P N H H X F C N R U W
S T Z L O Y C W J C N C L W F
```

PUZZLE 15

```
S S E D U Y M M I S G G O L E
D O Y N Z A E Y Z T G E R B V Z
N L T A T H E M S E L V E S O S
C O U L W K V U C E I Q Y K A K
M M R R O D C N D E L L A C N H
S O N I J O E R M O R F R A E H
H N C E L L O K B J O I P A V G
U D O H I L U F C R F L R R A N
T T E T H E N I G I A D U I E O
V H S R V Z T I C C W O R S H M
I E E C A F V E E O V N O A B A
P I S L P E O P L E M H A L I D
M R G U A G P X D B C M S M S N
D S X H O N V P I F M T A Q E D
N I G H T H D L A E H U K N N U
A N D P R A Y U S E R E H T D N
```

PUZZLE 16

```
R E T A E H T I H P M A Q E K U
E G X X G O A P I S X C D G O M
W M K E W N O N P S T R O P J E
O P E E C L I Y P I T L Z R S L
P Y R H J U E K O O M E O O Q A
W U S T E N T K D A N R M V B S
C A I J O L K I R U E T N P E U
O C T M U E H C O P S S I H L R
S M Z E M L A T M N A O D U O E
E V N P R N I E E H S L U D S J
I A I E T Z N U P B F D M X L E
M R I O D Y N A S T Y I E K E S
E G N N O S I R R A G E A I K U
N Y T I N A S N I O P R L E E S
E N P W C P A L A C E S S S H R
R O B R A H U M O A T A X E S Q
```

PUZZLE 17

```
D M E H T S A W R N N L K H D M
N E E Z D L A R E V E S K L E A
G E V M G X F Q T T R L N E C D
G A T I B N O I T A C O L P E O
W N L A E E N E E R I X I S N B
I G I A H C R C L G V S O T J
F K A N T T E S E E U E S G R O
Y X O L O I U R H S R T E F A Q
A S E F A D A T T D I A H R L C
J X T L L T N A D L Z N C O L R
C A L L A S I X A M I N O R M Y M
J E N P X N N A B B N I U P X D
J D X Y E G N A N A F S H A G G
F R A D E X R Y U S B S C U W F
M O D R K W H I C H P A U L C M
I N O I T A L U T S O P X E E D
```

PUZZLE 18

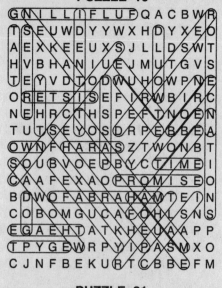

```
J B T H A T R P D I Z Q E P E G
A I L N C J R H R D R O W E Z N
A N D T H E Y G N I N H O L D O
X A Y E A S R U O I O W S P R I
S T V C F U L O D N A S U O H T
D I H Q S S P R I E S T S E C C
F E P E N A V H H G T A P P V E
O B V X M T D T P H B Y M A D R
M W F E W E M D E O D O O I C R
Y O N D I O N M U Y E N T K D U
K H G O R R N T D C V N N P E S
P K B F P A G U T S E C U L E E
O M G E I U E X M V I E P X K R
S A W T I F E H E B L M S D A B
U N U S D N A H X L E S C L P W
K Y F R T H G U A T B R S Q S P
```

PUZZLE 19

```
G N I L L I F L U P Q A C B W R
T S E U W D Y Y W X H D Y X E O
A E X K E E U X S J L L D S W T
T H V B H A N I U E J M U T G V S
T E Y V D T O D W H O W P N E
O R E T S I I S E F I R W B I R C
N E H R C T H S P E F T N O E N
T U T S E Y O S D R P E B B E A
O W N F H A R A S Z T W O N B T
S O U B V O E P B Y C T I M E
C A A F E X A O P R O M I S E O
B D W O F A B R A H A M T E I N
C O B O M G U C A F O H L S N S
E G A E H T A T K H E U A A P P
T P Y G E W R P Y I P A S M X O
C J N F B E K U R T C B B E F M
```

PUZZLE 20

```
A U F F B L E B A M I E M G U I
A S L R G T A N G A J I L N N H
N E A R O R I M N D F R U I T S
O I C N E A E D I A L E D W H V
A E S I C B E P R N P M O O I W
U A R I F V N Q E F A R N H S R
W E B E E I D N F N T A F S B Y
W R C Y D N R F F T F O B R Q
Q E X S U R E C O H M A R G O D
D H H O C C U P A T I O N V T P
E T R T E R R M I S U A Z C H C
I I G R I S O N O F G T F C M E B
N K V D N A L E H T O T I I R O
E E H T F O W T B G G O D R T D
D S I T H E A C T M O M S J S Y
N C S I H N E H W W D B U I L T
```

PUZZLE 21

```
H D J R C E A S E S T I U R F F
T W R S S I R P O B G I C O S E
E S E O C A R E F U L N O W L
M A H H U I X T H N T E H T S I
O W T L T G Q A X T E H S S H V
C H U T E Y H H W D I E E S M E
K R B H N A B T E M E E R B E H
S K R E T S F D A H A S N G T D
Q O D Y C E N N G N I D L E I Y
F T H E J A T A D D J N D B E R
C A L A D H W S R P L A N T E D
O E Z B A H O U Y E R Z O R Y
A H O T T A L M O R F E C N T H
D L A E L J Y P P A T V D C V M
X R R L O E E S T O N I C U X O
G S E O E B L L A H S R H B X G
```

PUZZLE 22

```
Y M C W X B I G M B E F H B S H
S U E O T D J O S E P H I A K E
A N C H S N E G Y R A M M C L R
V I E E M F C O P E T O B Y A
I Q G V V L I P L S S V A T S E
O U B A A S H C N I P T E T B Q
U E R A M E A T R A S E R N Y X
R D I M S R H H E U Z O L S T O
Z I G Y I A C A N B L A U D I S
Q U H M N Z J O L E R R V L
X G T G E G U E G F D Y R E I I
B D E N I T S E L A P O J H T G
I L S S M U R E G N A M R P A H
S L T Y S S P E C T A C L E N T
Y K S T H G I N I O F C S H H C
P Y N E L K D K R H A I S S E M
```

PUZZLE 23

```
F V D I V A D T S N I A G A O L
S B P E O P L E W N D R B Z X N
V A F A W C T O J E T E F F O R
L O B W L O T O V Z L V M Z B A
Y J K E I E L A W B U O W Z K T
F D E T H S S L E A A L O X M C
V E C T N S E T O R S T M Q Y B
N L I E A Y H T F S I A V K S
T I F W X M X L I N A F N O T Z
R A I L A X T H P A N E L O B R Z
I F R A H Y R U Q A E S V V I H
B I C R I F L E D H L H P W V N
E A A U O D L V M R D A W H O W
H P S N R L I O L E Y K G R L B
C H O B Z C R F P L I N T H E E
X S X K E F A Q J T A H T M P P
```

PUZZLE 24

```
H A M X U M M A M D S F T Z Y S
W O R K F N I S R A E L L Q L E
H G U E I Y T I L I B A E S U I
Y N X S V N G O L D L L W T M T
L L J M E Q H U N D R E D S R I
I O E M S M I N I H T E N E R C
T H R E E S C O R E V M A I B D
E A U D R R R A L A M S S R W Y
G M S J E F N E G E U C U P H J
R K A V P D D S H R V H O S I H
C I L C S O R E E T C I H O C W
W I E O Y E U L R D A E T M H K
S K M H G E P N R E T F A E I H
A E Z N T O H A D D F C N O S U
A A I X E N M T O S S F F R M
O S C P W S I S R E T R O P O R
```

PUZZLE 25

```
T A O G E P A C S U R E L Y T M
P L Y S R P X R P E O V A O S U
V L A I P L L E W R E S O B W H
A N D U I E O U I Y I R R Y O R
H E K V G P C G A S E E H H R Z
Y S E Q L H I X I E N V N Y T D X
N H A E U N I N F O Q A O O S K
A K D W A O E N R I N C B M U A
M S K T E G T P G S O S I I Q M
Y L E V I T C E P S E R B T W I
M D E B T X I H S E T M L U L M
A I P B R O T H E R S O I Q W Y
B D E B Y E B S W P J T C Z E M
Z T R O O I I E O X U G A K F G
W U Q G Y F I T N E D I L H I P
A B I B L E L L A F A O Q R T A
```

PUZZLE 26

```
T R M S T R O F F E Y O T R E O
H B E E K A E R B T R A E H M R
E E J J S O U T I N R C H H W A
S C F O E S T R L D O S P Z G W
E A N B L C A E E N D H O S X H
C M Q E P L T G C T I E R X O M
O E W C I A A I E H M W P S J G
N N I M R R L N O S E H E F I W
D T I A N I E S I N N A T Z F Q
V S P E A S E P K Y S Y Y M H Z
X E I T O A X D X O I M E K H T
S J I X H I W F E O E O S K K P L
V O W S H L X K K M N B R B N R
N A D U L T E R O U S W E A T K
M E M E J F I O B O O K T H E Z
H G V F B E T W E E N L M J T L
```

PUZZLE 27

```
H O D M O S H A V I N G S B B H
J S X G T D L F S U O T E V O C
F E E Q Z A U P E D P S M I L T
O R Y R R U F H L M L A I T A U
R O T U U T K I Z A O S T H F R
M M T R Y S N A F F E C T I O N
E A J H A E A E T X R N K S R A
N U R C S I H E N N E E N K M W
S A H S R U T H L I I F W N B A
E H O E N Q N O D P T T O O C Y
C L A H L S U E R E K N A W P E
R D O L E O B U J S N S O H R C
Y L Z V L O V L A S T Y Y C T R
Y B L A S P H E M E R S I C N E
O E O I S T N E R A P R N N O I
S A D O G F O S E S O H T D G F
```

PUZZLE 28

```
L Y V Q W A N N O U N C E S P L
K I N G D O M F S M H H K T I U
S O N O F I F I X I A O R A F P K
E O G N G N C R R E I E I B E
G F F H O N U A H M S S U S E J
O S T O E S C V E R A T Y D C O
D Y H R G T R E A L I A E P O H
I V S O E N D E P N Y S D M M N
N H T R W E I K P R I N T A E Z
C T N O R S R K G M O T J T Q M
U R U I F E K A Q C P B Y T I D
C U O V T R R R R E M O Q H H E E
O O C A A P P S E R A L C E O L
V F C S P E C I A L E R O W T U
V L A C I R O T S I H H K Q N F
J V M O H W O R D R I H T R O H
```

PUZZLE 29

```
Y S E C P A U L I N E C E E R G
K O S A L Z O Z D S C F U M E U
T G U P U C O E K O T H X C X L
N B A I I A H C A N Z G H N V N F
A S C T P F W T A P L E M A R B
T K E A Y J E C A D U E I U F N
R D B L B N S U E L G S N R S O
O G M J T G L H F N S A I G L N
P E Y O N S W N I G C W S E T T
M A J O R C I T Y C T H T O C H
U U M W P F A P H E I T R Y M E
R A N K T R W T E E N Y E P Z
R M U E A H C E L R I I O B A V
H H B P N G H H S E I B E R T E
T H E C I T Y Y V J F O N P A Y
Y S N A I H T N I R O C B U D S
```

PUZZLE 30

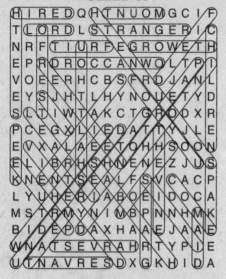

```
H I R E D Q H T N U O M G C I F
T L O R D L S T R A N G E R I C
N R F T I U R F E G R O W E T H
E P R O R O C C A N W O L T P I
V O E E R H C B S F R D J A N L
E Y S J H T L H Y N O U E T Y D
S L T I W T A K C T G R O D X R
P C E G X L I E D A T T Y J L E
E V X A L A E E T O H H S O O N
E L I B R H S H N E N E Z J U S
K N E N T S E A L F S C A C P
L Y U H E R I A B O E I D O C A
M S T R M Y N I M B P N N H M K
B I D E P D A X H A A E J A A E
W N A T S E V R A H R T Y P I E
U T N A V R E S D X G K H I D A
```

PUZZLE 31

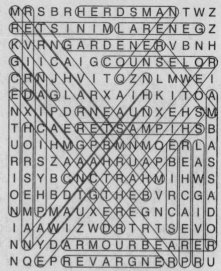

```
M R S B R H E R D S M A N T W Z
R E T S I N I M L A R E N E G Z
K V R N G A R D E N E R V B N H
G I I C A I G C O U N S E L O R
C R N J H V I T Q Z N L M W E I
E D A G L A R X A I H K I T O A
N X I P D R N E A U N X E H S M
T H C A E R E T S A M P I H S B
U O I H M G P B M N M O E R L A
R R S Z A A A H R U A P B E A S
I S Y B C N C T R A H M I H W S
O E H B D T G T H E B V R C G A
N M P M A U X E R E G N C A I D
I A A W I Z W O R T R T S E V O
N N Y D A R M O U R B E A R E R
N Q E P R E V A R G N E R P R U
```

PUZZLE 32

```
A J Y T I L I B O N J I J L J E
U S E T I N A A N A C O N T H L
S Y A D M W K R P Q D G R T U A
H S H W F R O M E G Y P T D H R
B O C A J B O T R N F I Q M A E
O M W S E U T M O D U E D H Y N
K O O F R C C I E B E F C I G U
T U O N Z B S A S N U P E C R F
U R I B H S S R E A T R P H W F
E N X Z E T E Z V I D E Y O T O
G F E C O I Q I E T E K R H T F
L O O F D Y J M N P L F H I I S
I R T L U J P L R Y L X G Q N M
P H O P L A C E A G A I O F F G
E S F T R K P B B E C A U S E P
L S E T I R L A R E N U F X I W
```

PUZZLE 33

```
V Z O M I P H I L I S T I N E R
I A O N S U E C N E H T U G Z Y
L D H T U P D I V A D D A Y N O
R I A R P O S T T N I B T Z H F
S L L E F N B T A T S N J B T D
R L H K H G H H R I G O T O R A
B B N I F E S P H G E Z K O A V
U U E H S I R R E N H N W K E I
S B T T H F T O Y A D S O C N D
K B O T N F A Q F L N U G T O Y
U N M P H R M C Z S A Y H E S U
E X S R E E Q R E D I E S N S A
W D D E D H R Q C N H H B O U E
K V N S P Q T E W A S N O U F J
X S A R O W I O N N C X J C P I
T H K A Q A N D T O O K A D E E
```

PUZZLE 34

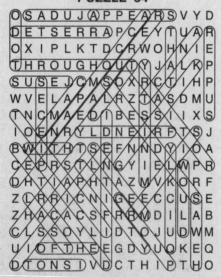

```
O S A D U J A P P E A R S V Y D
D E T S E R R A P C E Y T U A R
O X I P L K T D C R W O H N I E
T H R O U G H O U T Y J A L K P
S U S E J C M S O X R C T I H P
W V E L A P A L R Z T A S D M U
T N C M A E D I B E S S I I X S
I O E N R Y L D N E I R F T S J
B W I X T H S E F N N D Y I O A
C E P R S T L N G Y I E L W P R
D H T I X A P H T A Z M V K O R F
Z L R R I C N I G E E C C U S E
Z H A C A C S F R R M D I L A B
C L S S O Y L I D T O J U D W M
U I O F T H E E G D Y U Q K E Q
D T O N S I V D C T H I P T H O
```

PUZZLE 35

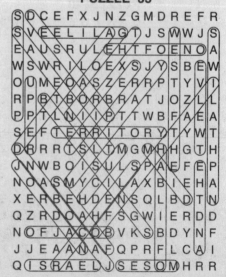

```
S D C E F X J N Z G M D R E F R
S V E E L I L A G T J S W W J S
E A U S R U L E H T F O E N O A
W S W R I L O E X S J Y S B E W
O U M E O A S Z E R R P T Y V I
R P B T B O R B R A T J O Z L L
P P T L N I X I P T T W B F A E A
S E F T E R R I T O R Y T Y W T
D B R R T S L T M G M H G T H
J N W B O I S U L S P A E F P
N O A S M Y C L A X B I E H A
X E R B E H D E N S Q L B D T N
Q Z R D O A H F S G W I E R D D
N O F J A C O B V K S B D Y N F
J J E A N A F Q P R F L C A I
Q I S R A E L J S E S O M H R R
```

PUZZLE 36

```
H P O D L R O W H O H A T H Z S
E L T S O P A P N L N P E I P K
G T I R A Z E C R O S A S M A U
P G N I D R O C C A V P R S Y D
F R Y S U S E J A E I S E E R C
A E E O X E O Q N R P S T L O O
I I G B D B R E L I I G T E F L F
T F O E E U Y T T X E S E L G G
H R T O C S U K E N N R I D I O
F O U N D A T I O N F W E H I D
U M O Y L E R I S I E P B H L C
L G H E Q L T G N H Y L E U W H
U O T H X P E L T A A F O A S O
A D I E O H O L Y M T H C R C S
P T W D X V S D E S S E L B D E
P L A C E S K G C H I L D R E N
```

PUZZLE 37

```
N I E B L L A H S D N A L L I K
D L L R K B N M H V T T L C T O
J L L Y E W Y Y T W S P A A T T
H U O A F H W T I M E T H O U N
X C D F H O T T H H B T S P A U
G D R G O S H O T E D Y L O B Y
X A A J M O R F R R M W L E K A
K O P N U E O E A B I F I S Y S
P P S T G V N E V T G N K U O I
Y E H A V E H T H E D J C A U N
H Z A J S R R H B A O Z D C T H
M J L B E I I O N U P S S I H B
C H T O T S B G F A T L O W A J
U E T W T N E M G D U J E H T S
X V A D Y R G N A S N V D C W L
V S S T N R H A A L J X G J C O
```

PUZZLE 38

```
J K E H T F O N A H T I W K H A
H O B J S C L A A C N S I V B Y
M O W O Z I P L U I S A I A H H
U B U I I P W L G D T T A R Q K
R E Y G E J M E Q I X S E N O A
O H H A Z I B X J V N A I G R U
A T L S N E A C Z I S T O R U D
P T H A N N C E Y D A P O N H V
Y R T O D O I P C E M G S B W C
C E O A N O I T I D A R T K E W
U H N P C M F T U N J A S C F Q
G T Y W H K Y I C A O V I S X X
M S F I V E J E R E R T S J H M
Y I X I S Y T X I S S L N T Y B
C H A P T E R S A U T S O N M F
E W K N B Z Z J J W P B C D N H
```

PUZZLE 39

```
R I X T C A B F F T H O U D G H
M E H T H C A E T O F H R V T X
D G G A S M P Y X G S O S G T E
S L U N V Y W O O E L E E B S I
T T E I I E R D N W L V L P E V
L H N Q C F I O E B I A B B Y A
A B E E M U T T A V W G A U A R
L F A R M S T T E U I V T M M T
A O Y I E D E T C S Z G O D S S
W R I T T E N T H A T S W J A G
W H I C H U M A H O E I T E I C
J U K T O Z I Z M S K L M J D V
B B A M R I T C C M R J M O U F
Y D E R O M H O E A O G O T N I
F H U N T O M O S E C N H T Y
T S H D M E M O T P U L P D O Z
```

PUZZLE 40

```
N O K R A D A N Z G E E U L A V
C B T Y F T A T A X E S M N N S
H O M S V A S L S I M O N C I Z
I U M A C I R L M S S A R B S D
S I Q M L J I T Z O M R T E T F
H S I V E C E D H F N Z E Y A R
A U E V E R R W O I P D T P M E
T R A N S A C T I O N S R N P P
I R S P C U O E C S Z G A O E P
S E E H R P H U V T H K D I D O
E T M N P U R C H A S E R R O C
K A E D A R T G O N C E A A W C
S T S G E M I A I I T R C S R I
G S O N U E O O H I T G H S O N
R L C M W H C R M B A N M A Q A
D Y S L E K E H S U I R A N E D
```

PUZZLE 41

```
H A I M E R E J N F M J E O E O
E I R S N E H T F O O T U W L A
W N L Y I N Z G O J C G Q T I N
A O F J D L A Q U O U H N D X O
S L F R E Q U E N T L Y R I E X
Z Y C I M R T O D F I A M S K S
O B N J A T U Z E L S H O T N I
V A I N N E N S D S A C A I G H
D B U W R G J W A S T H E N T Y
C G G O T U A L T L T R C G D B
A S R N D S O O E F X E I V U A A
K O O E A P O I F L A M A I Q L
C Z A R O K K M U F K T E S C G
T N E B E E V R E P B N H H D A
S R A Z Z E R D A H C U B E N X
Y N J E B D Y N A S T Y Z D R O
```

PUZZLE 42

```
Y I S G H A P A S S E T H M S W
L U Q D E N R A E L Y C U N P P
L U N G H T O B H T S E N O H U
A O X D K E E P H T D P Q G T R
N F O G E R X E H E N S N T L E
I G O H E R E Y X Y A E H L R T
F O W H A T S O E V E R T S E A
O D T O N Z O T G H O J T N P T
W F E A Y H H N A U A S U S O S
I A W V V L T C G N I V O S R C
S P R A I S E H I R D N E B T S
P I B E R E D V H H T I M K G I
E B N V T C C C O H W I N N G R
A X W J U R J E E L N I I G V D
K D R A E H U S R D H H O W H A
N E M N I N E E S T T E C A E P
```

PUZZLE 43

```
U A O F F S P R I N G E X M F M
P H S Z J A C O B N H G T O M Z
P H S S T G B A I O F Y G S D Z
A X S T U S E T A R H P U E E V
L T H C N R S R L S R T B S T N
E N E P B A A Q E N I M A P C I
S A C Z L H D N E K J O S H U A
T N H R P A C N C V A L T A R L
I E E I M O G O E E I B T N T P
N V M W U A T U C C R O M W S F
E O L R Y S H A E E S O E Q N A
N C A E E C N A T I R E H N I T
A G N V V A B H R E Q T D C C H
E O I B A A R B H B I I D O S E
H L I N W E R S P A A R R R R R
J O U R N E Y T F Y Y A O A R H
```

PUZZLE 44

```
Z A F T S A W H T E R A Z A N G
R R T R U C C O T S H I Q D P N
E E A O M O D E R N S T T Q L N
M F H D R L B S A M E W W W E A
C E T T L Z A A U Q E V K O A T
N R D A S W G C E N L Y T Y R S
E E D I S E N P T E I Y L O S F
M N E U T W W Y O S L B O E I C
A C S T O E M H D L A I H D G T
N E E T F I R E T B G T L R Q X
J S A H L I T R O U F Z B A W Z
A G R E E A F R A O O S Y W G D
A D S T C W P G E N A S T T L R
Y F R O M N A Z A R E T H S A E
E K L W G O S P E L S A E E K D
Q I A N G S O U T H E R N W L N
```

PUZZLE 45

```
Q U V E L I A H Z E E L E L N S
E A E B I A S A P H L L A Z A Q
H S A M Y L E T R G I P I B R X
A E H S U T S A R E S M A S E A
N S U T I D O R H P A P E L H P
A N L E A T M H O I B E N E E A
K U H L A O X P L F E A T U A T
L D N N C J L E O L T I N H D J
E M M A N U E L T H H I E S A L
U L U A H K O E A S C L H A E N
B R I M L P K N O E D A D I L E
U E U S A E A K Q A J S K L E L
L H Q Z H H L Z D O E I E L U
U T B U I E T K L N Z Z V I L Z
S S D L B L B E E E S A I A S A
C E L I U D E A E D E B E S L I
```

PUZZLE 46

```
H R B A F I V E G F O X W X K J
A E N O R H T K R O O P A W T M
D W P M I J I A E D G N Y L A N
U A O V E L R I D E K T O N Y H
J R C L L X V S N T S V D S B T
D D D E A D E E U A E A V A A O
N E D Y A S R C N B T K F L A B
A D T H N A T Y U E Z Y I L L Y
L D D A T A D C I T E H P R O R P
E N E X I L S S L J I E J O W E P
A W O L I X I E T E L U D Y I H P
R N U H E J H I Y B Y S A N T B
S N I M S H I I Z O E S H G S K
I P I H S R O W N E P Z W P A R
H X A H T H E K I N G S E H W X
S S E N L U F H T I A F H J J
```

PUZZLE 47

```
E R Y I V I G P E L B I B K S X
N H E D N N R E S O N O F Z J R
R T E T I E E E N O E H T N O O
Z I O T S P Q T W T Q A G J Z T
T W R E L K H H H A N D H E H S
A A N B Z E C G D C S H F O S E
P T U W O A I X I H E I T E J F C
S O O T A L N R R U C L H I I N
O D R H S M R C H Z T A E H E S A
E E I A R E H T O R B S I H R A
R B R O T H E R O F O G E V A S
M E N E M V Z I X A C L S G E P
E K L H V R Y B R S A R O D L S
N A V T W E E T O O J P I M A X
K H N S J R R E G N U O Y S U J
M H K J U R M O C V G Z C F H P
```

PUZZLE 48

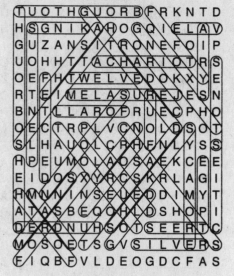

PUZZLE 49

PUZZLE 50

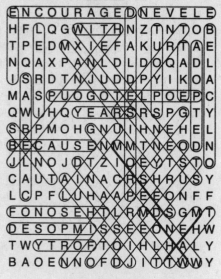

PUZZLE 51

PUZZLE 52

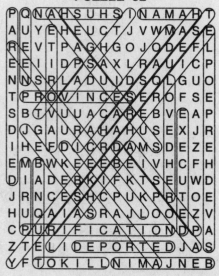

PUZZLE 53

PUZZLE 54

```
N J O W D F N F Y D S L E Y M K
I R A L M N O I T C E R R O C A
T X I F R O M O R A W R H B D G
Z H N G R T S I R H C W U N T O
C E R P H K P N X O F T S S D D
X S E O P T E W C O B C E N S M
F R Y E U D E V I X E C E D O G A
U O T R L G P O E S U F U I N Y
R W E R D B H N U N E R C T I Q
N S N C I O A T I S O E E A H D
I N S T R U C T I O N P R R T O
S A H O L Y N T I A M E S I H O
H G N I W O N K R F F W S P O G
E H V D C L L Y K I O P O S U W
D E J E I S G I V E N R J N O K
Y M A K E L B A E R A E P I K M
```

PUZZLE 55

```
P T L E B A B R B F T V X L H D
D O D H S A S Z C L J O I G G N
I N A P B A C C A D E S L E E I
B M A Y A Z A G E N H H B A T C
S N L H C N L K O I O A T E D Z
L O E D P I R R L M B A G E G O
N R B X G O A O S E O B H A B R
I B E D N R H I R L N R W H T A
M E N M H E T S A A T D R Z N H
R H N P E Z R Z M S P S O A G A
A U O O V E L I M U R P L R H M
H O R S E B F K U R B O O Z S A
X G Z B N B Z L M E G N U J R R
F O E B I R I A Z J E R I C H O
T C A L N E H G O B M S H A E R
M E N U H S O D O M L U Q G D T
```

PUZZLE 56

```
N O S R C F B E H T S I P S J B
S O N N F O E P A C S D N A L Y
J M R W O A Y T L H I W Q O S O
I I M T M W X L E L Z U Y X B D
F N B R H P C R L B D M Z K E N
U A H E A E E O N A D R O J O U
F T S V S W R X V T U T E M C O
E E I I L A G N R E H X T R O N R
W S E B D G V Q B E R E R R R
U T S T R N E L S O H E V I X E A
S H L Q I D A O T T U E D H V E
D E E H E T U Q N A K N T B O Y
Z O A M Y R X U G I H F D Z T Y
C J R L C D O Z P O O T R A A Z
X O S E R M O U N T A I N H R L
F V I I E K J Q W V C U O O S Y
```

PUZZLE 57

```
H T E D N A T S R E V I R L O N
R G H G B Y H M O T E O F N R F
E N T D E K E H T N I S I M U V
T A F H L D G N S P O G C A O R
A M O Z I Y H D R W H L O G R A
W E W T K T G D E T A C U T A R
W H A T E V E R N T T L N R M P
Y T L K J L I P N J N A S Y M X
E N L U I K R M I D O A E I Q Y
H A F G F T B Y S E T V L S H C
W E H I E N E L H P R O S P E R
W T D T G F R D E H H T O D W E
O A T O H M N O L S R J A V K A
N I R F E A S G C E S H B D B Y
S L O B A T T N E S A E U S A G
S I H T U B H U G L O R D W C Y
```

PUZZLE 58

```
Z G B S K S D R F M I H A G O T
H N Y A S E U R A P A Y C N A F
J O O C I H S N A N I S E I Z K
K L W K M C T S D B D N T V I T
C D F C P E P K E E A S G A T E
I G P L L E E O S R R D E E H N
O I T O E R K H I S D D S W D N
S R Y T C B E I L N N D R T N O
C D N H H E T A L P T S A E R B
A L I A P B D S U T Z O Y E S H
R E R S T N L O I N C L O T H S
F E K E A E L U F R O L O C V N
M I O S S L M D E S S E N C E B
N B A S O O L V C O T T O N I V
Y S A I A B O D I C E I I R L O
H T U R B A N L B J O L O G S R
```

PUZZLE 59

```
G V K E C W Y O Q O Y J I F C R
M W C D B L E A D E R R U C C O
P Z M L T H O R D L K S K V P Z
E N O S A W I F E E W L C E J U
E D U Q C P L H C A H I N J D Z
H B T J I M T H S S L T T V E F
T H P Y B T W T B C E L N M L S
T H O B A T H S B C O U K O L Y
I L U L I E W M O K I A G D I F
R G R R Y I Y S H A N C T N F L
I O I R T S T H A T P A N C O X
P P N H E B P H E N O M E N A T
S O G R T R X I G J W E H B B I
O X E Y A X I S R W E E X P W O
S W I M K J A F Q I B R K M T C
J K H C R U H C E H T N O Y Y V
```

PUZZLE 60

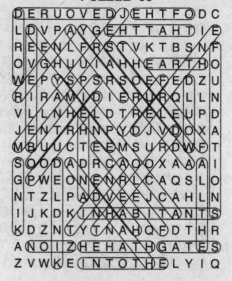

PUZZLE 61

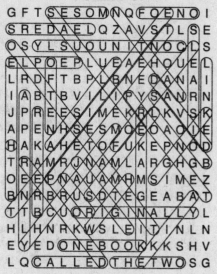

PUZZLE 62

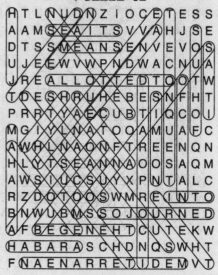

PUZZLE 63

PUZZLE 64

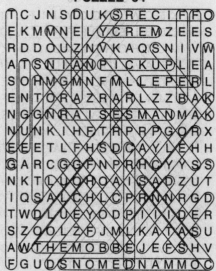

PUZZLE 65

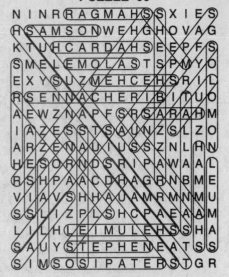

```
N I N R R A G M A H S S X I E S
H S A M S O N W E H G H O V A G
K T U H C A R D A H S E E P F S
S M E L E M O L A S T S P M Y O
E X Y S U Z M E H C E H S R I L
R S E N N A C H E R I B I T U O
A E W Z N A P F S R S A R A H M
I A Z E S S T S A U N Z S L Z O
A R Z E N A U I U S S Z N L H N
H E S O R N D S R I P A W A A L
R S H P A A C D H A G R N B M E
V I A V S S H A U A M R M N M U
S S L I Z P L S H C P A E A A M
L I L H L E I M U L E H S S H A
S A U Y S T E P H E N E A T S S
S I M S O S I P A T E R S T G R
```

```
N E H W P I S O L J T Y N L H F
O C R I M P S L M R A X I E R O
T H H E A V Y R A I N P G S I R
S E X N F O S O M C W H S G T
P T T E K F O E E V I S T E H Y
U N A C I N I U S A I N S V T A
R A D E N A X P N Z L V A E E H
R P N Q D S E R U T A E R C O W
O U U L A C E Z W B A O V U U I
C C N A I L A O W E L I E E S S
B C I M O N B O H K C H N S L T
Y O E H W Y B D L G E N E S I S
Y N I V T N M O U N T A I N H R
S S V W I R F T H E L P O E P B
T N O A H S A R K A G R M V Z Y
G I R E C E D E S I M O R P R L
```

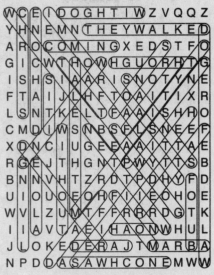

```
W C E I D O G H T I W Z V Q Q Z
Y H N E M N T H E Y W A L K E D
A R O C O M I N G X E D S T F O
G I C W T H O W H G U O R H T G
I S H S I A A R I S N O T Y N E
F T A I J L H F T O A I T I X R
L S N T K E L T F A A I S H H O
C M D I W S N B S F L S N E E F
X D N C I U G E A A I T T A E
R G E J T H G N T P W Y T T S B
B N N V H T Z R D T P D H Y F D
U I O U O E O H F I I E O H O E
W V L Z U M T F F R R R D G T K
I I A V T A E I H A O N W H U L
J L O K E D E R A J T M A R B A
N P D D A S A W H C O N E M W W
```

```
S T V P K H C I W I H A X F T O
E E H T Y A R P I P Y M E U T S
F E V P J M A O B O R E J R C J
L L E A U H C Q V M H O L I H S
E L M H O P K E L P O E P E F D
S E A N T L N T A B I J A H J L
Y F E H D L E D A A I S L L E O
H Y V E S S L E C H N M I H O T
T D M X U U S E K D W D T F A H
Y I O R O I U O T H O U G H B E
T A C H U A S C D N W I E Q S
H S S G Z C R H M L K J C W T O
D I S L T O H I S O A O X A M N
K I N G E O F L S H M P K U D R
O E M G H W B D Z E D E U Y Y W
Y Z Y Y X R E E Q B T S V P G C
```

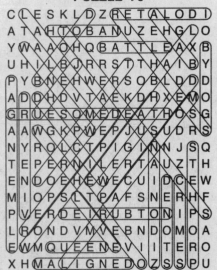

```
C L E S K L D Z R E T A L O D I
A T A H T O B A N U Z E H G L O
Y W A A O H Q B A T T L E A X B
U H I L B J R R S T T H A I B Y
P Y B N E H W E R S O B L D D D
A D O H D V T A E K D R X E M O
G R U E S O M E D E A T H O S G
A A W G K P W E P J U S U D R S
N Y R O L C T P I G I N N J S Q
T E P E R N I L E R T A U Z T H
E N D O E H E W E C U I D C E W
M I O P S L T P A F S N E R H F
P V E R D E I R U B T O N I P S
L R O N D V M V E B N D O M O A
E W M Q U E E N E V I I T E R O
X H M A L I G N E D O Z S S P U
```

```
E H T F O W B D V E R Y H S R X
X N E H T A E H X F L O O T S
E T M E K F S Q A G A I N S T U
X S C N E M T E F I W F J E R O
E A O A R H C V B T N C H A B N
I W T S T X T H I I E P I B H I
N E N V S L R U S O R D T A A
D P R O M E N T O R Y E E N Y T
N Z M T F M N H P S L S V X N N
D Z H U L R W D R A I I A Z P U
B E S C A A B N N B F D S Z K O
M E R F B C Y R B I E E T H D M
D Q I D A D E T A G K N H S T R
W A S A N D L Y F A B C E T U N
H S C S O U D A V I D E Q O I J
M K J M J C H L N L F G F O X E
```

```
Y A D M O N I S H Y E R C B R Z
Z P W B Z E U B W A U N Y U T W
F P R U C O S R T O K N O W S D
O O U N I A T B O R Y Z P C E I
E R I O J Y T H A E E B K V W T I
U N Y I H F L M J E S U S C Z D
S T R P I S I A J A M E O N Q R
W E E E O B I D L Q I M E T H O
B D V E B L O V E R F V K C P L
D M O L W R A K E O E R A H H E
O L F S E T E H R Y O E S I I H
G D U J I S T I S V L K T G D T
R E R O F E R E H W I T H H I M
O L N I H S I U K R E V I L E N
F K A W H S W D O A E Z I Y O M
N K R X G N O M A Y W N D T R O
```

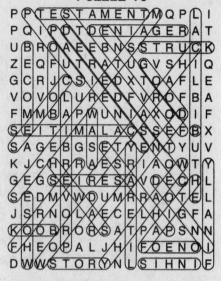

```
P P T E S T A M E N T M Q P L I
P Q I P O T D E N I A G E R A T
U B R O A E B N S S T R U C K I
Z E Q F U T R A T U G V S H I Q
G C R J C S I E D X T O A F L E
V O V O L U R E D F V R O F B A
F M M B A P W U N I X A X O D I F
S E I T I M A L A C S S E F B X
S A G E B G S E T Y E N T Y U V
K J C H R R A E S R I A O W T Y
G E G S E X I R E S A V D E C R L
S E D M V W D U M R R A O T E L
J S R N O L A E C E L H I G F A
K O O B R O R S A T P A P S N N
F H E O P A L J H I F O E N O I
D W W S T O R Y N L S I H N I F
```

```
D A E Q B O O K T H A T E V U N
U J M H I E O D W J H N J B I A
C R D E T P E C C A U K D A N I
L H S E H N B P T S T D M T T S
M L A A D L I N B H L U A H H R
T O P R W L E L E L X O I H V E
E D R R A H H W L D F S S H G P
M H O F E C A N L T N Y R L O P
P C V M E L T I H A Z L E O V X
I T I S L M U E M Q H L P F E N
N A N S Z B A E R E L A N E R P
H S C O E O B C O N H R U E N X
I U E R M E L A S U R E J F O H
U S O H A I L A C A H J B E
H T M R Q D F O N O S E H T H X
L E S W I X Z D N L I G P E T Q
```

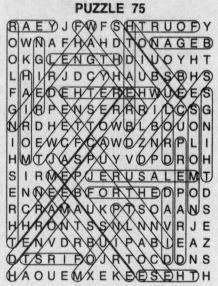

```
R A E Y J F W F S H T R U O P Y
O W N A F H A H D T O N A G E B
O K G L E N G T H D I U O Y H T
L H I R J D C Y H A U B S B H S
F A E D E H T E R E H W U E E S
G I R P E N S E R R R I L C S G
N R D H E T T O W B L B O U O N
I O E W C F C A W D Z N R P L I
H M T J A S P U Y V D P D R O H
S I R M E J E R U S A L E M T
E N N E B F O R T H E D P O D
R C R A M A U K P T S O A A N S
H H R O N T S S N L N N V R J E
T E N V D R B U I P A B L E A Z
O T S R I P O J R T O C D D N S
H A O U E M X E K E E S E H T H
```

```
E E S I R A H P R T S A E F R E
J H D O G M E S S E N G E R X
S L A X O F N Y N J O N Z T D C
S S L N L E H L T T S I X A P N U
E E E W D Y E E S I L X R N B S
N Y H R C K N R L I R L I D T E
D I A C O G E V T P E O C N A S
O G R M I G E R A G V Z H A A B
O N U R N B E R C X I Z F T Z E
G V L A S F E Q I H F F O S U I
K S R I N O S L A G I D O R P A
T T O R A Y E N I V E E L E L D
S A M A R I T A N P E G F D A N
Z S E R V A N T T S A O D N N A
W X O R A T S U M W B S S U T B
N B G Y G A L Q J C D Y N T J F
```

```
T N M L I D L L I W E H T I I J
N O I S S E R C E T N I S W T J
A C N G W D R A E D E S I R E D
V Q I V R N N L F W O L L E F M
R F S O G E P A U B S U P H E E
E D T R O M E B T P Y A K T T U
S B R C O M R T A S P P B O A Z
I D Y C T O G H I H L S A T T Q
H N J F U C R T R N P A C U S W
R M A G F E E A N L G W K N L R
O X H L P O S F R E T S I N I M
F T O A L Z U S R R S T N E R X
L M U F E M T N O E S Z H C X C
I L R X D P H P D L P T D J E O
A O N V F E E N R E N O F G O D P
M U Y Y I R M C H U R C H C L J
```

PUZZLE 78

```
F R V C X K F L I W Y G D K O O
S Y E L L A V S A K X G O T W I
N Q E B T G H F P A D G W A E R
J Q P C E A J L P E S O N E H E
Z O V E R L S R L E D T V R T E
P G A O I C O I E A H O H G G S
R E N N A B G V H O L T B E N O
K V N I M H Z S E S N N D R O F
Z S R E T H G U A D V U O N M Q
B T I P H E R W A N D H I S A G
N R F T E W U O D F T O E M P S
G H O U S E O Q S G F T Y Y N W
H M Y U M K T O N E S L H O C E
Y T L W G A E O D A O M S A F E
X S I O S H M D T V B F R U I T
D V L W Q A T H E L I L Y W O X
```

PUZZLE 79

```
G P D P E E K O T U J Y R E V E
N Y E Q U M T V X G G D X U K C
I S H A M E A S U R E Y D O B A
D P S T C D S S Z S P I R I T R
R W H E R E W I T H I G O K T G
O O E U N O P X B F G E L H I O
C E V K N I W O O A V I R Z N A
C D E M O T L R H O P O F E Y N
A E N J I H B W B C U T G T H O
M L A M T E B A O G O O I C T T
F L S J A R Q U H L O N E S I H
J A W R C E W Q T F U E B N M E
W C I X O F A L L U S O Y F Q B
E N N T V O L X R E N O S I R P
G I F C H R K J B D U T P O X Z
J G N I R E F F U S G N O L Q W
```

PUZZLE 80

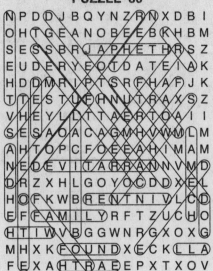

```
N P D D J B Q Y N Z R N X D B I
O H T G E A N O B E E B K H B M
S E S S B R J A P H E T H R S Z
E U D E R Y E O T D A T E I A K
H D D M R I P T S R F H A F J K
T T E S T U F H N U T R A X S Z
V H E Y L L T T A E R T O A I I
S E S A O A C A G M H V W M L M
A H T O P C F O E E A H I M A M
N E D E V I I T A R R A N V M D
D R Z X H L G O Y O C D D X E L
H O F K W B R E N T N I V L C D
E F F A M I L Y R F T Z U C H O
H T I W V B G G W N R G X O X G
M H X K F O U N D X E C K L L A
F E X A H T R A E E P X T X O V
```

PUZZLE 81

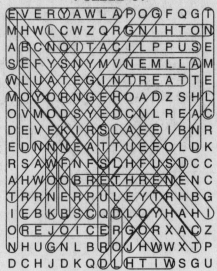

```
E V E R Y A W L A P O G F Q G T
M H W L C W Z O R G N I H T O N
A B C N O I T A C I L P P U S E
S E F Y S N Y M V N E M L L A M
W L U A T E G I N T R E A T E
M O Y O R N G E R O A D Z S H L
O V M O D S Y E D C N L R E A C
D E V E K I R S L A E E I B N R
E D N N E A T T U E E O L D K
R S A W F N F S L H F U S U C C
A H W O O B R E X T H R E N E N
T R R N E R P U L E Y T R H B G
I E B K B S C Q D L O Y H A H I
O R E J O I C E R G O R X A O Z
N H U G N L B R O J H W W X T P
D C H J D K Q D L H T I W S G U
```